ЭРИХ МАРИЯ РЕМАРК

НА ЗАПАДНОМ ФРОНТЕ БЕЗ ПЕРЕМЕН

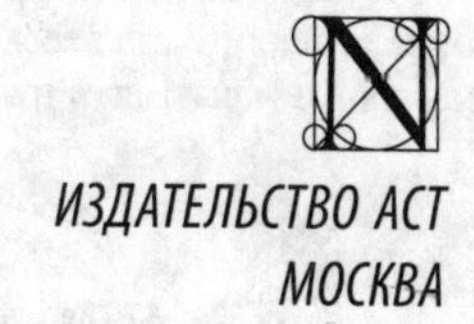

ИЗДАТЕЛЬСТВО АСТ
МОСКВА

УДК 821.112.2-31
ББК 84(4Гем)-44
Р37

Серия «Эксклюзивная классика»

Erich Maria Remarque
IM WESTEN NICHTS NEUES

Перевод с немецкого *Н. Федоровой*

Серийное оформление *Е. Ферез*

Печатается с разрешения
The Estate of the Late Paulette Remarque
и литературных агентств
Mohrbooks AG Literary Agency и Synopsis.

Ремарк, Эрих Мария.

Р37 На Западном фронте без перемен : [роман] / Эрих Мария Ремарк ; [пер. с нем. Н. Федоровой]. — Москва : Издательство АСТ, 2020. — 285, [3] с. — (Эксклюзивная классика).

Говоря о Первой мировой войне, всегда вспоминают одно произведение Эриха Марии Ремарка.

«На Западном фронте без перемен».

Это рассказ о немецких мальчишках, которые под действием патриотической пропаганды идут на войну, не зная о том, что впереди их ждет не слава героев, а инвалидность и смерть...

Каждый день войны уносит жизни чьих-то отцов, сыновей, а газеты тем временем бесстрастно сообщают: «На Западном фронте без перемен...»

Эта книга — не обвинение, не исповедь.

Это попытка рассказать о поколении, которое погубила война, о тех, кто стал ее жертвой, даже если сумел спастись от снарядов и укрыться от пули.

УДК 821.112.2-31
ББК 84(4Гем)-44

ISBN 978-5-17-088940-2

Эта книга не обвинение и не исповедь. Просто попытка рассказать о поколении, загубленном войной, хотя оно и избежало ее снарядов.

I

Мы стоим в девяти километрах от фронта. Вчера нас сменили, и теперь, набив желудок белыми бобами с говядиной, все сыты и довольны. Каждый сумел даже запастись на вечер полным котелком и вдобавок получить двойной паек колбасы и хлеба, а это уже кое-что. Давненько такого не бывало: красномордый кашевар предлагает жратву; каждого, кто проходит мимо, подзывает взмахом черпака и накладывает щедрую порцию. Он в полном отчаянии, потому что знать не знает, как бы опорожнить походную кухню. Тьяден и Мюллер раздобыли несколько умывальных тазиков, и он наполнил их вровень с краями, про запас. Тьяден поступает так от ненасытности, Мюллер — из осторожности. Куда у Тьядена все это девается, для всех загадка. Он был и остается тощим как селедка.

Но самое главное — двойной паек курева. По десять сигар, два десятка сигарет и две пачки жевательного табаку на каждого, очень даже прилично. Свой жевательный табак я выменял у Качинского на сигареты, стало быть, теперь у меня их четыре десятка. Пока что хватит.

Вообще-то подобная роскошь нашему брату не положена. У армии не настолько широкая натура. Нам повезло по ошибке.

Две недели назад мы выдвинулись на передовую, пришел наш черед. На нашем участке было довольно спокойно, и ко дню нашего возвращения каптенармус получил обычное количество продовольствия, в расчете на роту численностью полторы сотни человек. Однако в самый последний день мы угодили под неожиданно мощный обстрел длинноствольных и крупнокалиберных орудий, английская артиллерия беспрерывно лупила по нашим позициям, так что в итоге потери оказались очень велики и вернулось нас всего восемьдесят человек.

В расположение мы прибыли ночью и сразу повалились на койки, чтобы первым делом как следует выспаться; ведь Качинский прав: все бы ничего, и войну стерпеть можно, кабы только побольше спать. На передовой не поспишь, а четырнадцать дней всякий раз долгий срок.

Уже настал полдень, когда первые из нас выползли из бараков. Через полчаса, подхватив котелки, все собрались у походной кухни, от которой шел густой сытный запах. Впереди, конечно, самые голодные: малыш Альберт Кропп, самый ясный ум среди нас и оттого только ефрейтор; Мюллер-пятый, который таскает с собой школьные учебники, мечтает о досрочных экзаменах и под ураганным огнем зубрит физические законы; Леер, который отпустил окладистую бороду и обожает девиц из офицерских борделей, он клянется, что армейским приказом их обязали носить шелковые сорочки и мыться перед приемом гостей от капитана и выше; четвертый — я, Пауль Боймер. Всем четверым по девятнадцать лет, все четверо пошли на войну из одного класса.

Прямо за нами наши друзья. Тьяден, тощий слесарь, наш ровесник, величайший обжора во всей роте. Садится есть стройный, а встает пузатый, как беременный клоп; Хайе Вестхус, того же возраста, рабочий-торфяник, который спокойно может взять в руку буханку хлеба и спросить: «Отгадайте-ка, что у меня в кулаке!» Детеринг, крестьянин, думающий лишь о своем хозяйстве да о жене, и, наконец, Станислаус Качинский, старший в нашем отделении, упорный, хитрый, пройдошливый, сорока лет от роду, с землистым лицом, голубыми глазами, сутулыми плечами и поразительным чутьем к опасности, хорошей жратве и теплым местечкам.

Наше отделение возглавляло очередь к походной кухне. И мы начали терять терпение, ведь ничего не подозревающий кашевар по-прежнему выжидал. В конце концов Качинский крикнул ему:

— Открывай харчевню, Генрих! Бобы-то давно готовы.

Тот лениво покачал головой:

— Сперва здесь должны быть все до единого.

— Мы все здесь, — ухмыльнулся Тьяден.

Унтер-офицер еще не понял:

— Как бы не так! Где остальные?

— Этих нынче кормишь не ты! Полевой лазарет и братская могила.

Кашевара это известие подкосило. Он аж пошатнулся.

— А я-то на сто пятьдесят человек наготовил.

Кропп ткнул его под ребра.

— В таком разе мы наконец наедимся досыта. Давай приступай!

Внезапно Тьядена осенило. Острое мышиное лицо форменным образом засияло, глаза хитро сузились, щеки задергались, он шагнул ближе:

— Слышь, приятель, значит, ты и хлеба получил тоже на сто пятьдесят человек, да?

Унтер кивнул, уныло, с отсутствующим видом. Тьяден сгреб его за грудки:

— И колбасы тоже?

Красномордый опять кивнул.

Челюсти у Тьядена заходили ходуном:

— И табаку?

— Да. Все на полный состав.

Тьяден с сияющим видом огляделся по сторонам:

— Черт подери, вот повезло так повезло! Ведь это же все теперь нам! Каждый получит... погодите... действительно, двойной паек!

Однако ж красномордый очухался и объявил:

— Так не пойдет.

Но тут и мы все оживились, подступили ближе.

— Почему не пойдет, порей несчастный? — спросил Качинский.

— То, что рассчитано на сто пятьдесят человек, на восемьдесят не пойдет.

— Ну, это мы тебе продемонстрируем! — рявкнул Мюллер.

— Еду я раздам, только ровно восемьдесят порций, как положено, — уперся кашевар.

Качинский разозлился:

— Пожалуй, пора бы тебя заменить, а? Продовольствие ты получил не на восемьдесят человек, а на вторую роту, и точка. И раздашь его! Вторая рота — это мы.

Мы приперли кашсвара к стенке. Все его недолюбливали, по его вине питание несколько раз доставляли нам в окопы с большим опозданием, совсем холодное, потому что при малейшем обстреле он со своей кухней боялся подъехать поближе и наши подносчики поневоле проделывали куда более долгий путь, чем подносчики из других рот. Бульке из первой роты намного лучше. Хоть и толстый, как хомяк зимой, он в случае чего сам тащил фляги до переднего края.

Мы здорово распалились, и не миновать бы потасовки, если бы не подошел наш ротный. Он поинтересовался, о чем свара, и сперва только сказал:

— Н-да, потери вчера были большие... — Потом заглянул в котел. — Недурственные бобы как будто.

Красномордый кивнул:

— С салом и мясом.

Лейтенант посмотрел на нас. Знал, о чем мы думаем. Он вообще много чего знал, ведь возмужал среди нас, а пришел в роту унтер-офицером. Он еще раз приподнял крышку котла, понюхал и, уходя, сказал:

— Принесите и мне тарелочку. И раздать всё. Нам не повредит.

Красномордый стоял как дурак. Тьяден приплясывал вокруг него.

— Нечего жмотничать! Можно подумать, он тут главный интендант. Приступай, жирнюга, да смотри не обсчитайся...

— Чтоб ты подавился! — прошипел кашевар. Он растерял свой гонор, подобное не укладывалось у него в голове, весь мир перевернулся. И словно желая показать, что теперь ему все без разницы, добровольно выдал нам еще и по полфунта искусственного меда.

День нынче вправду хороший. Даже почта пришла, почти у каждого несколько писем и газеты. Мы не спеша идем на лужайку за бараками. Кропп тащит под мышкой круглую крышку от бочонка с маргарином.

Справа на краю лужайки сооружен большой нужник, солидная крытая постройка. Но она для новобранцев, которые еще не научились извлекать удовольствие из чего угодно. Мы выискиваем кое-что получше. Для той же цели повсюду расставлены еще и кабинки на одного. Прямоугольные, чистые, целиком из дерева, закрытые со всех сторон, с безукоризненно удобным сиденьем. По бокам приделаны ручки, так что кабинки можно переносить.

Мы сдвигаем в кружок три штуки и располагаемся поуютнее. Ближайшие два часа с места не поднимемся.

Помню, как в казарме мы, новобранцы, поначалу стеснялись ходить в общий нужник. Дверей там нет, двадцать человек сидят рядом, как в поезде. Всех можно окинуть одним взглядом, ведь солдат должен постоянно быть под надзором.

С тех пор мы научились многому, не только превозмогать пустяковый стыд. Со временем наторели и кое в чем другом.

Но это вот здесь прямо-таки наслаждение. Уж и не знаю, почему раньше мы всегда непроизвольно стеснялись подобных вещей, ведь они не менее естественны, чем еда и питье. Пожалуй, и не стоило бы о них особо распространяться, если бы они не играли для нас столь существенной роли и именно нам были в новинку — остальные давным-давно считали их обычным делом.

Собственный желудок и пищеварение знакомы солдату ближе, чем любому другому человеку. Он лишен трех четвертей своего словарного запаса, и выражения высочайшей радости и глубочайшего возмущения получают у него ядреную окраску. Иным способом высказаться четко и ясно невозможно. Наши семьи и наши учителя здорово удивятся, когда мы придем домой, но здешний универсальный язык именно таков.

По причине своей принудительной публичности все эти процессы вновь обрели для нас невинный характер. Более того, они настолько естественны, что удобное их отправление ценится наравне, ну, скажем, с красиво разыгранным уверенным большим шлемом без четверок. Недаром для всякой болтовни придумали название «сортирный треп»; в армии только в таких местах и можно потрепаться да посплетничать, как в кафе или в пивнушке за столом завсегдатаев.

Сейчас мы чувствуем себя вольготней, чем в каком-нибудь роскошном белокафельном заведении. Там лишь гигиенично, а у нас здесь — красиво.

Чудесно бездумные часы. Над нами — голубое небо. У горизонта висят ярко освещенные желтые привязные аэростаты и белые облачка зенитных выстрелов. Порой они снопом устремляются ввысь, преследуя самолет.

Глухой рокот фронта долетает до нас как очень далекая гроза. Шмели, гудящие поблизости, заглушают канонаду.

А вокруг раскинулся цветущий луг. Покачиваются нежные травинки, порхают бабочки-капустницы, парят на теплом мягком ветерке бабьего лета, мы читаем письма и газеты, курим, снимаем шапки, кладем их рядом, ветер раздувает волосы, играет словами и мыслями.

Три кабинки среди ярко-красных маков...

Мы устраиваем на коленях крышку от бочонка с маргарином. На ней хорошо играть в скат. Кропп захватил с собой карты. После каждого открытого мизера — распасовка. Так бы и сидел тут целую вечность.

От бараков доносятся звуки гармоники. Временами мы откладываем карты, смотрим друг на друга. Тогда кто-нибудь говорит: «Ребята, ребята...» или «Могло бы и плохо кончиться...», и на миг мы погружаемся в молчание. Нас охватывает сильное затаенное чувство, его испытывает каждый, и оно не нуждается в избытке слов. Ведь мы были на волосок от гибели, еще бы чуть-чуть — и не сидели бы сегодня здесь, на этих стульчаках. Потому-то сегодня все так ново и ярко — красные маки и хорошая еда, сигареты и летний ветер.

— Кто-нибудь из вас успел повидать Кеммериха? — спрашивает Кропп.

— Он лежит в Святом Иосифе, — говорю я.

Мюллер считает, что у Кеммериха сквозное ранение в бедро, а это неплохой шанс вернуться домой.

Мы решаем после обеда проведать его.

Кропп достает письмо:

— Вам привет от Канторека.

Мы смеемся. Мюллер бросает сигарету, говорит:

— Хотелось бы мне, чтоб он был здесь.

Канторек был у нас классным наставником, строгий, маленький, в сером сюртуке, с острым мышиным лицом. По комплекции примерно как унтер-офицер Химмельштос, «ужас Клостерберга». Кстати говоря, забавно, что мировые беды зачастую случаются из-за малорослых людей, они намного энергичнее и неуживчивее, чем высокие. Я всегда остерегался попадать под начало маленьких ротных, обычно они жуткие живодеры.

На уроках гимнастики Канторек до тех пор произносил перед нами речи, пока весь класс под его водительством в полном составе не отправился в окружное военное управление и не записался добровольцами. По сей день воочию вижу, как он, сверкая глазами сквозь очки, взволнованно вопрошал: «Вы тоже с нами, товарищи?»

У этих наставников волнение обычно наготове, что называется, в жилетном кармане, да и раздают они его поурочно. Правда, тогда мы об этом еще не задумывались.

Один из нас, впрочем, сомневался и не слишком горел желанием идти добровольцем. Йозеф Бем, толстый добродушный парень. Но в конце концов поддался на уговоры, ведь иначе бы навлек на себя позор. Вероятно, и еще кое-кто думал так же, как он, однако по-хорошему не выкрутишься, в то время даже у родителей слово «трус» с языка не сходило. Никто же понятия не имел, чтó началось. Проницательнее всех, по сути, оказались люди бедные и простые, они изначально восприняли войну как бедствие, а вот более обеспеченные себя не помнили от радости, хотя они-то могли бы скорее уяснить себе последствия.

Качинский утверждает, что виновато образование, от него-де глупеют. А Кач говорит только то, что хорошо обдумал.

Странным образом Бем погиб одним из первых. При штурмовой атаке получил пулю в глаза, и мы оставили его, решив, что он убит. Забрать его с собой мы не сумели, так как отступали в спешке. Но под вечер вдруг услышали его крики и увидели, как он там ползает. После ранения он просто потерял сознание. А теперь, поскольку ничего не видел и обезумел от боли, не использовал укрытия, и с той стороны его расстреляли еще прежде, чем нам удалось его вытащить.

Канторек тут, конечно, ни при чем, — что станется с миром, если уже это называть виной? Таких Кантореков тысячи, и все они твердо убеждены, что на свой лад усердно делают все возможное.

Но для нас в этом-то и заключается их несостоятельность.

Нам, восемнадцатилетним, они бы должны были стать посредниками, проводниками во взрослый мир, мир труда, долга, культуры и прогресса, в будущее. Порой мы их высмеивали, устраивали мелкие проказы, но, в сущности, верили им. С идеей авторитета, носителями которой они были, связывались в нашем представлении глубокая проницательность и гуманные взгляды. Но первый же увиденный нами убитый разрушил эту веру. Мы не могли не признать, что наше поколение честнее их; они превосходили нас только фразерством и ловкостью. Первый же ураганный обстрел продемонстрировал нам нашу ошибку, в клочья разнес мировоззрение, какому нас учили они.

Они еще писали и произносили речи, а мы видели лазареты и умирающих; они называли служение государству самым главным, а мы уже знали, что смертельный страх сильнее. Однако страх не сделал нас ни бунтарями, ни дезертирами, ни трусами — они-то с легкостью сыпали этими выражениями, — мы любили родину, как и они, и всегда храбро шли в атаку; но теперь мы прозрели, вмиг научились видеть. И увидели, что от их мира не осталось ничего. Внезапно мы оказались в страшном одиночестве — и должны были справляться с ним в одиночку.

Перед тем как отправиться к Кеммериху, мы собираем его вещи, в дороге они ему пригодятся.

В полевом лазарете царит суматоха; как всегда, пахнет карболкой и потом. В казармах ко многому привыкаешь, но здесь все равно любого в два счета замутит. Мы выспрашиваем, как найти Кеммериха; он лежит в зале, и при виде нас на его лице слабо проступает выражение радости и беспомощного волнения. Пока он был без памяти, у него украли часы.

Мюллер качает головой:

— Я же говорил, незачем брать с собой такие хорошие часы.

Мюллер несколько неотесан и категоричен. Иначе бы промолчал, ведь каждому видно, что из этого зала Кеммерих уже не выйдет. Отыщутся ли его часы, значения не имеет, разве что можно будет отослать их домой.

— Как дела, Франц? — спрашивает Кропп.

Кеммерих опускает голову.

— Да ничего... только вот нога чертовски болит.

Мы смотрим на одеяло. Его нога накрыта проволочной корзиной, одеяло лежит на ней горой. Я пинаю Мюллера по щиколотке, ведь с него станется сказать Кеммериху то, что мы успели узнать в коридоре от санитаров: у Кеммериха больше нет ноги. Ее ампутировали.

Выглядит он ужасно, желтый, землисто-бледный, в лице уже проступили чужие черты, прекрасно нам знакомые, потому что мы видели их сотни раз. Собственно, это не черты, скорее знаки. Под кожей более не пульсирует жизнь, ее вытеснило на грань тела, изнутри пробивается смерть, глаза уже в ее власти. Вот лежит наш товарищ Кеммерих, который совсем недавно жарил с нами конину и сидел в секрете, он пока тот же и все-таки не тот, его образ расплылся, потерял четкость, как фотопластинка, на которую сняли два кадра. Даже голос его звучит словно пепел.

Мне вспоминается наш тогдашний отъезд.

Мать Кеммериха, добродушная толстуха, провожала сына на вокзал. Она все время плакала, от слез лицо отекло и опухло. Кеммерих стеснялся ее, ведь все, кроме нее, хоть как-то сдерживались, а она совершенно раскисла. При том выбрала меня, поминутно хватала за плечо и умоляла присмотреть за Францем. Кстати, лицо у него было совершенно детское, а кости до того мягкие, что, проходив месяц с ранцем за спиной, он уже заработал плоскостопие. Но как присмотришь за кем-либо на войне!

— Теперь домой поедешь, — говорит Кропп, — а отпуска пришлось бы дожидаться еще месяца три-четыре.

Кеммерих кивает. Сил нет смотреть на его руки, они будто восковые. Под ногтями окопная грязь, иссиня-черная, как отрава. У меня вдруг мелькает мысль, что эти ногти, как зловещие подземные растения, будут расти еще долго после того, как Кеммерих перестанет дышать. Так и вижу перед собой картину: ногти закручиваются штопором, растут и растут, а с ними растут волосы на распадающемся черепе, словно трава на доброй почве, точь-в-точь словно трава, как же такое возможно?..

Мюллер наклоняется:

Мы принссли твои вещи, Франц.

Кеммерих жестом показывает:

— Положите под койку.

Мюллер так и делает. Кеммерих опять заводит про часы. Как бы его успокоить, не вызывая подозрений?!

Мюллер выныривает из-под койки, с парой летчицких сапог. Превосходные английские сапоги из мягкой желтой кожи, высокие, до самых колен на шнуровке, завидная вещь. Мюллер смотрит на них с восторгом, прикидывает их подметки к своей неуклюжей обувке, спрашивает:

— Сапоги-то с собой повезешь, а, Франц?

Все трое мы думаем об одном: даже если бы выздоровел, Кеммерих мог бы использовать лишь один сапог, так что для него они ценности не имеют. А уж в нынешних обстоятельствах тем более жалко оставлять их здесь, санитары, конечно же, мигом их умыкнут, как только он умрет.

Мюллер продолжает:

— Тут не хочешь оставить?

Кеммерих не хочет. Это самое ценное его имущество.

— Мы можем их выменять, — снова предлагает Мюллер, — здесь, на фронте, они всякому сгодятся.

Но Кеммерих непреклонен.

Я наступаю Мюллеру на ногу, и он нехотя сует роскошные сапоги на место, под койку.

Поговорив еще немного о том о сем, мы прощаемся:

— Будь здоров, Франц.

Я обещаю прийти завтра, Мюллер тоже, он

думает о сапогах и потому намерен быть начеку.

Кеммерих стонет. У него жар. За дверью мы перехватываем санитара, уговариваем сделать Кеммериху укол.

Он отказывает:

— Вздумай мы колоть морфий всем и каждому, целые бочки его понадобятся.

— Ты небось только офицерам услуживаешь, — с неприязнью бросает Кропп.

Я вмешиваюсь и перво-наперво угощаю санитара сигаретой. Он берет. Потом спрашиваю:

— А тебе вообще разрешено делать уколы?

Он обижается:

— Раз не верите, то чего спрашиваете...

Я сую ему в ладонь еще несколько сигарет.

— Сделай нам одолжение...

— Ну ладно, — говорит он. Кропп идет за ним в зал, не доверяет, хочет сам убедиться. Мы ждем снаружи.

Мюллер опять начинает про сапоги:

— Мне бы они в самый раз подошли. В этих-то корытах все ноги стер. Как думаешь, продержится он до завтрашнего вечера? Если помрет ночью, сапог нам не видать...

Возвращается Альберт, спрашивает:

— Как считаете?..

— Каюк, — подытоживает Мюллер.

Мы идем обратно в бараки. Я думаю о письме, которое мне придется завтра писать матери Кеммериха. Меня знобит, шнапсу бы сейчас глоточек. Мюллер срывает травинки, жует. Коротышка Кропп вдруг отшвыривает сигарету, яростно затаптывает ее, с подавленно-растерянным видом озирается по сторонам, бормочет:

— Окаянное дерьмо, окаянное дерьмо...

Мы идем дальше, долго идем. Кропп успокоился, мы знаем, это фронтовое бешенство, с каждым бывает. Мюллер спрашивает его:

— Что, собственно, написал тебе Канторек?

Он смеется:

— Мы-де железная молодежь.

Мы злобно смеемся, все трое. Кропп чертыхается, радуясь, что может говорить.

Да, вот так они думают, сотни тысяч кантореков! Железная молодежь. Молодежь! Нам всем не больше двадцати. Но молоды ли мы? Молодость? Она давно прошла. Мы старики.

II

Странно подумать, что дома, в ящике письменного стола, лежат начатая драма «Саул» и кипа стихов. Не один вечер я сидел над ними, да и почти все мы занимались подобными вещами, но теперь они стали для меня настолько нереальными, что я даже представить их себе толком не могу.

С той поры как мы здесь, прежняя наша жизнь отрезана, причем без нашего участия. Иной раз мы пытаемся сориентироваться и найти этому объяснение, однако, по сути, безуспешно. Именно нам, двадцатилетним, все особенно неясно, Кроппу, Мюллеру, Лееру, мне — нам, кого Канторек называет железной молодежью. Люди постарше крепко связаны с прежним, у них есть основа, есть жены, дети, профессии и интересы, уже настолько сильные, что война не в состоянии их разорвать. У нас же, двадцатилетних, есть только родители, а кое у кого — девушка. Это немного — ведь в наши годы сила родителей совсем слаба, а девушки еще не приобрели первостепенного значения. Помимо этого, у нас разве что было немножко мечтательности, кой-какие увлечения да школа; дальше наша жизнь пока не простиралась. И от этого не осталось ничего.

Канторек сказал бы, что мы стояли на самом пороге бытия. Примерно так оно и есть. Мы не успели пустить корни. Война смыла нас, унесла. Для других, старших, она перерыв, остановка, они могут думать о том, что́ будет после. А вот мы целиком в ее власти и не знаем, как все это кончится. Успели только осознать, что каким-то странным и тоскливым образом огрубели, хотя даже и грустим теперь нечасто.

Пусть Мюллеру охота заполучить сапоги Кеммериха, но от этого в нем не меньше участия, нежели в таком, кто от боли и думать о них не смеет. Просто он умеет различать. Будь Кеммериху хоть какая-то польза от этих сапог, Мюллер бы скорее уж побежал босиком по колючей проволоке, а не ломал себе голову, как бы ими завладеть. В нынешних же обстоятельствах сапоги не имеют к состоянию Кеммериха ни малейшего касательства, а вот Мюллеру вполне могут пригодиться. Кеммерих умрет, кому бы ни достались сапоги. Так почему бы Мюллеру не постараться, у него ведь на них больше прав, чем у какого-нибудь санитара! Когда Кеммерих умрет, будет поздно. Оттого-то Мюллер и суетится уже сейчас.

Мы утратили ощущение иных взаимосвязей, поскольку они искусственны. Для нас важны и справедливы только факты. А хорошие сапоги — редкость.

* * *

Раньше и с этим обстояло по-другому. Направляясь в окружное военное управление, мы еще были школьным классом из двух десятков молодых людей, которые, прежде чем ступить на армейский плац, все вместе (кое-кто впервые) радостно наведались к брадобрею. Твердых планов на будущее мы не имели, мысли о карьере и профессии, по сути, лишь у считаных единиц сложились настолько, что могли означать некий жизненный порядок; зато нас переполняли туманные идеи, придававшие в наших глазах жизни — да и войне тоже — идеализированный и чуть ли не романтический характер.

Два с половиной месяца мы проходили военную подготовку, и это время изменило нас куда радикальнее, чем десять школьных лет. Мы усвоили, что надраенная пуговица важнее четырех томов Шопенгауэра. Сперва с удивлением, потом с досадой, а в конце концов с безразличием признали, что решающую роль играет вроде бы не дух, а сапожная щетка, не мысль, а система, не свобода, а муштра. Солдатами мы стали с восторгом и по доброй воле, однако армия делала все, чтобы их истребить. Через три недели мы уже не изумлялись, что разукрашенный галунами письмоносец имел над нами больше власти, чем родители, педагоги и все культурные круги от Платона до Гёте, вместе взятые. Наши молодые, бодрые глаза увидели, что классическое понятие отечества, о котором твердили наши учителя, реализовалось здесь покуда как отказ от личности, какого даже от ничтожнейшего посыльного никогда бы не потребовали. Отдание чести, стойка «смирно», церемониальный шаг, ружейные артикулы, направо, налево, щелканье каблуками, брань и тысячи издевательств — мы представляли себе свою задачу иначе и считали, что нас готовят к героизму, как цирковых лошадей. Но скоро привыкли. Даже уразумели, что одна часть этих вещей необходима, другая же совершенно не нужна. У солдата на это тонкий нюх.

По трое, по четверо наш класс разбросали по отделениям вместе с фризскими рыбаками, крестьянами, рабочими и ремесленниками, с которыми мы быстро подружились. Кропп, Мюллер, Кеммерих и я попали в девятое отделение, под начало унтер-офицера Химмельштоса.

Он слыл в казармах самым страшным живодером и тем гордился. Маленький, коренастый, в строю уже двенадцать лет, с рыжими закрученными усами, по гражданской профессии — письмоносец. Кроппа, Тьядена, Вестхуса и меня он особенно допекал, чувствуя наше молчаливое упорство.

Однажды утром я четырнадцать раз заправлял его койку. Он все время находил к чему придраться и срывал постель. За двадцать часов работы — конечно, с перерывами — я довел пару закаменевших допотопных сапог до такой мягкости, что Химмельштос и тот не нашел к чему прицепиться; по его приказу я зубной щеткой дочиста отдраил полы в отделении; вооружившись платяной щеткой и совком для мусора, мы с Кроппом выметали снег с плаца и, наверно, так бы и закоченели в конце концов, если б не случайное появление лейтенанта, который отослал нас в казарму и устроил Химмельштосу разнос. К сожалению, в результате Химмельштос еще сильнее на нас обозлился. Четыре недели кряду я каждое воскресенье стоял в карауле и еще четыре недели дневалил в казарме; на мокрой, раскисшей пашне я с полной выкладкой и винтовкой отрабатывал «Встать, марш-марш!» и «Ложись!», пока не рухнул комком грязи, а четыре часа спустя предъявил Химмельштосу безупречно вычищенное снаряжение, правда до крови стертыми руками; вместе с Кроппом, Вестхусом и Тьяденом упражнялся в стойке «смирно», без перчаток, на сильном морозе, сжимая голыми пальцами железный ствол винтовки, а Химмельштос расхаживал вокруг, караулил малейшее движение, чтобы констатировать дисциплинарный проступок; в два часа ночи я восемь раз бегом спускался в рубахе с верхнего этажа казармы во двор, потому что мои подштанники на несколько сантиметров выступали за край скамейки, где каждый стопкой складывал свои вещи. Рядом со мной, наступая мне на ноги, бежал дежурный унтер-офицер — Химмельштос. Во время учебных штыковых боев моим противником неизменно оказывался Химмельштос, причем у меня в руках была тяжелая железяка, а у него — сподручное деревянное ружье, так что он с легкостью превращал мои руки в сплошной синяк; впрочем, однажды я до того рассвирепел, что кинулся на него очертя голову и так саданул под дых, что он не устоял на ногах, упал. Когда же он вздумал жаловаться, ротный поднял его на смех и сказал, что ему не мешает быть повнимательнее; зная Химмельштоса, он, видимо, радовался его промашке. Я научился артистически влезать на тумбочки, мало-помалу достиг мастерства в приседаниях; мы дрожали, едва заслышав голос Химмельштоса, но сломить нас этот озверелый почтарь не сумел.

Однажды в воскресенье, когда мы с Кроппом на жердине волокли через казарменный двор сортирные параши, нам встретился Химмельштос, расфуфыренный на выход, он мимоходом остановил нас и спросил, как нам нравится эта работенка, и тут мы наперекор всему сделали вид, будто споткнулись, и плеснули из параши ему на ноги. Он прямо осатанел, но параша-то была переполнена, как и чаша нашего терпения.

— В крепость захотели?! — завопил он.

Кропп не выдержал:

— Только сначала расследование, а тогда мы все выложим.

— Как вы разговариваете с унтер-офицером! — взревел Химмельштос. — С ума сошли? Ждите, пока вас спросят! Что вы сделаете?

— Выложим все насчет господина унтерофицера! — отчеканил Кропп, вытянувшись в струнку.

Химмельштос наконец сообразил, что происходит, и, ни слова не говоря, убрался. Хотя, прежде чем исчезнуть, еще проквакал:

— Я вам это припомню!

Однако его владычеству пришел конец. Он было опять попробовал на пашнях «Ложись!» и «Встать, марш, марш!». И мы, конечно, исполняли каждую команду, ведь приказ есть приказ, его надлежит исполнять. Но исполняли мы его так медленно, что Химмельштос пришел в отчаяние. Мы не спеша опускались на колени, потом на локти и так далее; он же тем временем в ярости отдавал следующую команду. Мы и вспотеть не успели, а он совершенно охрип.

Тогда он оставил нас в покое. Называл не иначе как сволочами. Но с уважением.

Много было и порядочных унтеров, более разумных; порядочные даже составляли большинство. Однако в первую очередь каждому хотелось как можно дольше сохранять за собой теплое местечко на родине, а для этого приходилось обращаться с новобранцами весьма сурово.

Нам на долю выпала, пожалуй, вся казарменная муштра, какая только возможна, и часто мы ревели от ярости. Некоторые из-за этого хворали. Вольф даже умер от воспаления легких. Но мы сочли бы себя посмешищем, если б смирились. Стали жесткими, недоверчивыми, безжалостными, мстительными, грубыми — и хорошо, ведь как раз такими качествами мы не обладали. Если бы нас отправили в окопы без этой выучки, большинство бы, наверно, свихнулось. А так мы были готовы к тому, что нас ожидало.

Мы не сломались, мы приспособились; наши двадцать лет, в другом очень осложнявшие нам жизнь, тут здорово помогли. А самое главное, в нас проснулось прочное, практическое чувство единения, которое на фронте переросло в лучшее, что породила война, — в товарищество!

* * *

Я сижу у койки Кеммериха. Ему все хуже. Вокруг царит шумная суматоха. Прибыл санитарный эшелон, и сейчас отбирают транспортабельных раненых. Возле Кеммериха врач не задерживается, даже не смотрит на него.

— В следующий раз, Франц, — говорю я.

Он на локтях приподнимается в подушках.

— Мне отрезали ногу.

Стало быть, теперь он все же знает. Я киваю, говорю:

— Радуйся, что так отделался.

Кеммерих молчит.

Я продолжаю:

— Ведь могли бы и обе ноги ампутировать, Франц. Вегелер потерял правую руку. Это куда хуже. Вдобавок ты вернешься домой.

Он смотрит на меня.

— Ты так думаешь?

— Конечно.

— Ты так думаешь? — повторяет он.

— Наверняка, Франц. Просто сперва тебе надо восстановить силы после операции.

Он делает мне знак наклониться поближе. Я наклоняюсь, и он шепчет:

— Я в это не верю.

— Не городи чепухи, Франц, через день-другой сам увидишь. Большое дело — ампутированная нога; здесь и с чем похуже справляются.

Он приподнимает руку.

— Посмотри, посмотри на мои пальцы.

— Это из-за операции. Лопай как следует, и все наладится. Кормят-то вас прилично?

Он кивает на миску с едой: съел разве что половину.

— Франц, тебе надо есть, — озабоченно говорю я. — Еда — это главное. Она тут вполне приличная.

Кеммерих машет рукой. Помолчав, медленно произносит:

— Я хотел стать главным лесничим.

— Ты и сейчас можешь им стать, — утешаю я. — Существуют превосходные протезы, ты и не заметишь, что у тебя чего-то недостает. Их подсоединяют к мышцам. У ручных протезов можно шевелить пальцами и работать, даже писать. К тому же постоянно изобретают что-нибудь новенькое.

Некоторое время он лежит молча. Потом говорит:

— Можешь взять мои сапоги, отдай Мюллеру.

Я киваю, размышляя, как бы его подбодрить. Губы у него как бы стерлись, рот стал больше, зубы выдаются вперед, как куски мела. Плоть тает, лоб выпячивается, скулы выпирают. Скелет проступает наружу. Глаза уже западают. Через несколько часов наступит конец.

Кеммерих не первый, кого я вижу таким, но мы вместе росли, и от этого все иначе. Я списывал у него сочинения. В школе он большей частью носил коричневый костюм с хлястиком, залоснившийся на рукавах. Единственный в классе он умел крутить солнце на перекладине. При этом волосы шелковой волной падали на лицо. Канторек им гордился. А вот сигареты Кеммерих не выносил. Очень белокожий, он чем-то походил на девушку.

Я гляжу на свои сапоги. Большие, неуклюжие, брюки заправлены в голенища; когда встаешь, выглядишь в этих широких штанах крепким и сильным. Но когда мы идем купаться и раздеваемся, вдруг снова обнаруживаются тонкие икры и узкие плечи. Мы тогда не солдаты, а почти мальчишки, никто бы не поверил, что мы способны таскать солдатские ранцы. Странный миг, когда мы раздеты; мы тогда штатские и едва ли не чувствуем себя таковыми.

Когда мы купались, Франц Кеммерих выглядел маленьким и хрупким, как ребенок. И вот он лежит здесь, почему? Стоило бы провести мимо его койки весь мир и сказать: это Франц Кеммерих, девятнадцати с половиной лет от роду, он не хочет умирать. Не дайте ему умереть!

Мысли у меня путаются. Пропитанный карболкой, гангренозный воздух забивает легкие мокротой, душит, как густая жижа.

Смеркается. Лицо Кеммериха блекнет, бледнеет настолько, что выделяется на подушках светящимся белым пятном. Рот тихонько шевелится. Я наклоняюсь. Он шепчет:

— Если найдете мои часы, отошлите их домой.

Я не перечу. Нет смысла. Убедить его невозможно. От беспомощности мне совсем паршиво. Этот лоб со впалыми висками, этот рот, уже и не рот, только челюсти, этот заострившийся нос! А дома — толстая плачущая женщина, которой я должен написать. Хоть бы скорее покончить с этим письмом.

Лазаретные санитары снуют вокруг с бутылями и ведрами. Один подходит, бросает испытующий взгляд на Кеммериха и опять уходит. Явно ждет, вероятно, ему нужна койка.

Я придвигаюсь поближе к Францу и, словно это его спасет, говорю:

— Может, тебя отправят в санаторий возле Клостерберга, Франц, где виллы. Будешь смотреть в окно на поля, до двух деревьев у горизонта. Сейчас самая замечательная пора, пшеница созревает, и вечером поля отливают на солнце перламутром. А тополевая аллея у Монастырского ручья, где мы ловили колюшку! Ты можешь снова завести аквариум и разводить рыбок, сможешь гулять, ни у кого не спрашиваясь, даже на фортепиано играть, если захочешь.

Я склоняюсь над его лицом, оно сейчас в тени. Он еще дышит, тихо-тихо. Лицо мокрое, он плачет. Ох и натворил я дел своей дурацкой болтовней!

— Франц! — Я беру его за плечи, прижимаюсь к его лицу. — Хочешь вздремнуть?

Он не отвечает. Слезы текут по щекам. Мне хочется их утереть, только вот платок у меня слишком грязный.

Проходит час. Я сижу в напряжении, слежу за выражением его лица — вдруг еще что-нибудь скажет. Хоть бы открыл рот и закричал! Но он только плачет, повернув голову набок. Не говорит ни о матери, ни о братьях и сестрах, не говорит ни слова, наверно, уже оставил всс это позади, — сейчас он наедине со своей короткой девятнадцатилетней жизнью и плачет, оттого что она его покидает.

Более растерянного и тяжелого прощания мне никогда видеть не доводилось, хотя и Тидьен тоже уходил мучительно — медвежьей силищи парень во всю глотку звал маму и, испуганно вытаращив глаза и размахивая штыком, не подпускал врача к своей койке, пока не обессилел и не затих.

Внезапно Кеммерих стонет, начинает хрипеть.

Я вскакиваю, спотыкаясь, выбегаю в коридор, спрашиваю:

— Где врач? Где врач?

Увидев белый халат, я вцепляюсь в него.

— Идемте скорее, иначе Франц Кеммерих умрет.

Он высвобождается, спрашивает стоящего поблизости санитара:

— Что это значит?

— Койка двадцать шесть, ампутация бедра, — докладывает тот.

— Откуда мне знать, я сегодня пять ампутаций провел! — рявкает врач, отстраняет меня, говорит санитару: — Идите проверьте, — и спешит в операционную.

Дрожа от ярости, я иду с санитаром обратно. Он смотрит на меня:

— Одна операция за другой, с пяти утра... это уж чересчур, скажу я тебе, только сегодня опять шестнадцать смертей... твой семнадцатый. Наверняка до двух десятков дойдет...

Мне становится дурно, я вдруг больше не могу. Даже ругаться неохота, нет смысла, хочется рухнуть и никогда больше не вставать.

Мы у койки Кеммериха. Он мертв. Лицо еще мокрое от слез. Глаза полуоткрыты, желтые, как старые роговые пуговицы...

Санитар толкает меня в бок.

— Вещи его заберешь?

Я киваю, а он продолжает:

— Нам надо сразу его вынести, койка нужна. Они уже в коридоре лежат.

Я забираю вещи, отстегиваю личный знак Кеммериха. Санитар спрашивает солдатскую книжку. Книжки нет. Я говорю, что она, наверно, в канцелярии, и ухожу. За моей спиной они уже перетаскивают Франца на брезент.

За дверьми темнота и ветер — словно избавление. Я дышу изо всех сил, воздух, как никогда, тепло и мягко обвевает лицо. Внезапно в голове мелькают мысли о девушках, о цветущих лугах, о белых облаках. Ноги в сапогах двигаются вперед, я ускоряю шаг, бегу. Мимо идут солдаты, их разговоры будоражат меня, хоть я и не понимаю их смысла. Земля пропитана силами, которые через подошвы вливаются в меня. Ночь электрически потрескивает, фронт глухо громыхает, как барабанный концерт. Мои движения легки и гибки, я чувствую силу суставов, шумно дышу. Ночь живет, я живу. Ощущаю голод, больший, чем тот, что идет только от желудка...

Мюллер стоит у барака, ждет меня. Я отдаю ему сапоги. Мы заходим внутрь, он их примеряет. В самый раз.

Он роется в своих припасах, угощает меня изрядным куском сервелата. И горячим чаем с ромом.

III

Прибыло пополнение. Бреши заполняются, и соломенные тюфяки в бараках скоро уже не пустуют. Отчасти это старики, но к нам направили и двадцать пять человек новобранцев из полевых учебных лагерей. Они почти на год моложе нас. Кропп толкает меня в бок.

— Видал детишек?

Я киваю. Мы напускаем на себя гордый вид, устраиваем во дворе бритвенный сеанс, суем руки в карманы, разглядываем новобранцев и чувствуем себя старыми вояками.

К нам присоединяется Качинский. Прогулочным шагом мы проходим через конюшни и добираемся до пополнения, которому как раз выдают противогазы и кофе. Кач спрашивает одного из самых молоденьких:

— Небось давненько приличной жратвы не пробовали?

Парнишка кривится:

— Утром брюквенный хлеб, в обед брюква, на ужин котлеты из брюквы и салат из брюквы.

Качинский присвистывает с видом знатока:

— Хлеб из брюквы? Вам, ребята, еще повезло, теперь-то его уже из опилок варганят. А как насчет белых бобов, хошь порцию?

Мальчишка краснеет:

— Насмехаться-то зачем?

— Тащи котелок, — коротко бросает Качинский.

Нас тоже разбирает любопытство. Он ведет нас к бочонку возле своего тюфяка. И бочонок вправду до половины полон белых бобов с говядиной. Качинский стоит рядом словно генерал и командует:

— Разуй глаза, ловчее пальцы! Таков солдатский девиз!

Мы поражены. Я спрашиваю:

— Мать честная, Кач, ты где их раздобыл?

— Краснорожий обрадовался, когда я их забрал. Взамен он получил три куска шелка от ракетных зонтиков. А что, белые бобы и холодные на вкус хоть куда.

Он накладывает мальчишке щедрую порцию и говорит:

— Когда явишься с котелком в следующий раз, держи в левой руке сигару или кусок жевательного табаку. Ясно? — Потом оборачивается к нам: — Вам, понятно, даром.

Качинский незаменим, потому что обладает шестым чувством. Такие люди есть повсюду, но заранее никто этого не знает. В каждой роте их один-двое. Но большего пройдохи, чем Качинский, я не встречал. По профессии он, по-моему, сапожник, хотя это не имеет значения, так как он разбирается в любом ремесле. Водить с ним дружбу весьма полезно. Мы, Кропп и я, с ним дружим, Хайе Вестхус более-менее тоже. Вообще-то Вестхус скорее подручный, работает под началом Кача, когда затея предполагает применение кулаков. За это ему положены свои льготы.

К примеру, ночью мы входим в совершенно незнакомый поселок, жалкую дыру, по которой с первого взгляда видно, что она вконец разорена. Расквартировываемся в маленькой темной фабричке, худо-бедно оборудованной под казарму. Там стоят койки, вернее, деревянные каркасы, затянутые проволочной сеткой.

Сетка жесткая. Одеял для подстилки у нас нет, наши нужны, чтобы укрыться. А брезент слишком тонкий.

Качинский оценивает ситуацию и говорит Хайе Вестхусу:

— Идем-ка со мной.

Оба уходят в совершенно незнакомый поселок. А полчаса спустя возвращаются с большущими охапками соломы. Кач нашел конюшню и, понятно, солому. Теперь можно бы поспать в тепле, если бы не жуткий голод.

Кропп спрашивает у артиллериста, который находится здесь уже некоторое время:

— Есть тут где-нибудь столовая?

Тот смеется:

— Ишь чего захотел! Нету здесь ни хрена. Корки сухой не сыщешь!

— И местных уже не осталось?

Сплюнув, артиллерист бросает:

— Кое-кто остался. Только они сами ошиваются возле походных кухонь, клянчат пожрать.

Плохо дело. Что ж, придется потуже затянуть ремни и ждать до завтра, когда подвезут провизию.

Однако я вижу, что Кач надевает шапку, и спрашиваю:

— Ты куда, Кач?

— Пойду осмотрюсь маленько. — Он не спеша уходит.

Артиллерист иронически ухмыляется:

— Ну-ну, осмотрись. Не надорвись только.

Мы разочарованно ложимся на койки, прикидывая, не подхарчиться ли неприкосновенным запасом. Но риск слишком велик. И мы пытаемся вздремнуть.

Кропп разламывает сигарету, дает половинку мне. Тьяден рассказывает про свое национальное блюдо, крупные бобы с салом. Последними словами ругает стряпню без чабреца. А главное, картошку, бобы и сало варить надо вперемешку, ни в коем разе не по отдельности. Кто-то бурчит, что сделает чабрец из Тьядена, если он сию минуту не заткнется. В большом помещении воцаряется тишина. Только несколько свечек, воткнутых в бутылки, мерцают, да временами харкает артиллерист.

Мы чуток задремали, когда дверь отворяется и входит Кач. Мне кажется, я вижу сон: под мышкой у него две буханки хлеба, а в руке — окровавленный мешок с кониной.

Артиллерист роняет трубку изо рта. Ощупывает хлеб.

— Впрямь настоящий хлеб, вдобавок теплый.

Кач не распространяется о том, как все это достал. Он принес хлеб, остальное значения не имеет. Я уверен: оставь его в пустыне, и через час он организует ужин из фиников, жаркого и вина.

— Наколи дров, — коротко командует он Хайе.

Потом достает из-за пазухи сковороду, а из кармана — горсть соли и даже кусок жира; он обо всем подумал. Хайе разводит на полу костер. Треск огня разносится по голому фабричному цеху. Мы слезаем с коек.

Артиллерист в замешательстве. Прикидывает, не стоит ли похвалить, глядишь, тогда и ему что-нибудь перепадет. Но Качинский в упор его не видит, артиллерист для него — пустое место. И тот, чертыхаясь, уходит.

Кач умеет зажарить конину так, чтобы она сделалась мягкой. Ее нельзя сразу бросать на сковороду — останется жесткой. Сперва надо проварить ее в небольшом количестве воды. Вооружившись ножами, мы рассаживаемся вокруг костра, наедаемся до отвала.

Вот таков Кач. Если б где-нибудь можно было раздобыть еду раз в год и лишь в течение часа, то именно в этот час он, движимый наитием, наденет шапку, выйдет и, как по компасу, разыщет ее.

Он находит все: в холода — печурки и дрова, сено и солому, столы, стулья, а главное, съестное. Поистине загадка: так и кажется, что он, словно по волшебству, добывает все из воздуха. Коронным достижением были четыре банки омаров. Хотя мы предпочли бы топленое сало.

* * *

Мы расположились на солнечной стороне бараков. Пахнет варом, летом и потными ногами.

Кач сидит рядом со мной, потому что любит поговорить. Сегодня в полдень мы целый час трснировались в отдании чести, поскольку Тьядеп нсбрежно приветствовал какого-то майора. У Кача эта история нейдет из головы.

— Чего доброго, проиграем войну, — замечает он, — потому как навыкли очень уж ловко отдавать честь.

Кропп, точно аист, подходит ближе, босой, брюки закатаны выше колен. Кладет на траву сушить выстиранные носки. Кач смотрит в небо, шумно выпускает газы и задумчиво изрекает:

— Каждый боб газом хлоп.

Оба затевают спор. Разом заключают пари на бутылку пива — по поводу воздушного боя у нас над головами.

Кача не переубедишь, у него свое мнение, которое он, старый окопник, опять изрекает рифмами:

— Одинаково б кормили, одинаково б платили — про войну б давно забыли.

Кропп, напротив, мыслитель. Предлагает превратить объявление войны в этакий народный праздник — вход по билетам, музыка, как на боях быков. А на арене министры и генералы двух стран-противников, в плавках, вооруженные дубинками, пускай дерутся между собой. Кто уцелеет, та страна и победила. Куда проще и лучше, чем здесь, где воюют друг с другом совсем не те люди.

Идею встречают одобрением. Потом разговор переходит на казарменную муштру.

Мне при этом вспоминается одна картина. Раскаленный полдень на казарменном дворе. Воздух над плацем дрожит от зноя. Казармы словно вымерли. Всё спит. Слышно только, как упражняются барабанщики, где-то построились и упражняются, неловко, однообразно, тупо. Какое трезвучие: полуденный зной, казарменный плац и упражнения барабанщиков!

Окна в казарме пустые и темные. Из некоторых вывешены на просушку рабочие штаны. Туда все смотрят с вожделением. В помещениях прохладно.

О темные, затхлые казарменные помещения с железными койками, клетчатыми одеялами, тумбочками и скамейками! Даже вы способны стать желанными; здесь вы кажетесь прямо-таки чудесным отражением родины, вы, помещения, полные застарелых запахов еды, сна, дыма и одежды!

Качинский описывает их в ярких красках и с большим волнением. Чего бы мы не отдали, только бы вернуться туда! Ведь заглянуть дальше уже и в мыслях не смеем...

О вы, учебные занятия ранними утрами: «Из каких деталей состоит винтовка образца девяносто восьмого года?» Послеобеденная гимнастика... «Пианисты, шаг вперед. Направо! Шагом марш на кухню чистить картошку...»

Мы упиваемся воспоминаниями. Неожиданно Кропп смеется:

— Пересадка в Лёне.

Это была любимая забава нашего унтера. Лёне — пересадочная железнодорожная станция. И чтобы наши отпускники там не заплутали, Химмельштос прямо в казарме отрабатывал с нами пересадку. Нам надлежало усвоить, что на пересадку надо идти через подземный путепровод. Койки изображали путепровод, все выстраивались слева и по команде «Пересадка в Лёне!» с быстротой молнии проползали под койками на другую сторону. Так продолжалось часами...

Немецкий самолет меж тем сбили. Точно комета, он падает в туче дыма. Таким образом, Кропп проиграл бутылку пива и хмуро пересчитывает деньги.

— Как письмоносец Химмельштос наверняка скромняга, — заметил я, когда Альбертово разочарование улеглось, — почему же как унтер-офицер он сущий живодер?

Мой вопрос снова мобилизует Кроппа:

— Химмельштос не одинок, таких очень много. Едва только обзаведутся галунами или саблей — сразу становятся другими, будто бетону объелись.

— Значит, виноват мундир, — предполагаю я.

— Примерно так, — говорит Кач, явно намереваясь выступить с пространной речью, — но причина в другом. Видишь ли, когда дрессируешь собаку, чтобы она жрала картошку, а после даешь ей кусок мяса, она все равно схватит мясо, такая уж у нее природа. Вот и с человеком, коли дать ему чуток власти, происходит аккурат то же самое — он ее хватает. Получается этак совершенно нечаянно, ведь человек в первую голову животное, разве только поверху, словно в бутерброде со смальцем, намазано маленько порядочности. Армейская служба в том и состоит, что один непременно имеет власть над другим. Паршиво только, что власти этой у каждого чересчур много; издевательством унтер-офицер может довести рядового до потери рассудка, лейтенант — унтер-офицера, капитан — лейтенанта. И зная об этом, живо берет в привычку разные приемчики. Вот тебе простейший случай: мы возвращаемся с учебного плаца, усталые как собаки. И тут приказ: «Запевай!» Ясное дело, поём хило, ведь каждый и винтовку-то едва тащит, где уж тут петь. Роту заворачивают и в наказание назначают еще час шагистики на плацу. На обратном пути сызнова: «Запевай!» И на сей раз все поют. А какова цель? Ротный добился своего, потому как имеет власть. Никто его не упрекнет, наоборот, он слывет строгим поборником дисциплины. Причем это ведь сущая ерунда, у них есть способы и похлеще, чтоб помучить других. И я вас спрашиваю: кем бы человек ни был на гражданке, какую бы профессию ни исправлял, может он позволить себе такое и не схлопотать по морде? Нет, это возможно только в армии! Тут, вишь, у любого головка закружится! И тем сильнее, чем ничтожнее он был на гражданке.

— Так ведь без дисциплины-то никуда... — невзначай вставляет Кропп.

— Причины, — ворчит Кач, — у них завсегда есть. И пускай дисциплина. Но нельзя же превращать ее в издевательство. А поди растолкуй это слесарю, или батраку, или работяге, объясни рядовому, каких тут большинство; он видит только, что с него спускают шкуру и посылают на фронт, и в точности знает, что нужно, а что нет. Я вам вот как скажу: что простой солдат здесь, на фронте, все выдерживает, это не хухры-мухры! Да, не хухры-мухры!

Все соглашаются, ведь каждому известно, что муштра прекращается лишь в окопах, а уже в считаных километрах от фронта начинается снова, пусть с величайшей нелепости вроде отдания чести и церемониального шага. Потому что железный закон гласит: солдата в любом случае необходимо чем-нибудь занять.

Однако в эту минуту появляется Тьяден, лицо в красных пятнах. Он так взбудоражен, что заикается. С сияющим видом произносит по слогам:

— Сюда едет Химмельштос. Откомандирован на фронт.

У Тьядена большущий зуб на Химмельштоса, так как в учебном лагере тот по-своему усердно его воспитывал. Тьяден мочится в постель, бывает с ним такое, ночью, во сне. Химмельштос упрямо твердил, что виновата здесь только лень, и измыслил весьма характерный способ излечить Тьядена. Отыскал в соседнем бараке еще одного бедолагу, по фамилии Киндерфатер, и определил соседом к Тьядену. В бараках стояли обычные двухэтажные койки, с проволочной сеткой. Химмельштос разместил этих двоих друг над другом, одного наверху, второго внизу. Нижнему, ясное дело, приходилось хреново. Зато следующим вечером они менялись местами, нижний занимал верхнюю койку, в порядке компенсации. Вот так Химмельштос понимал самовоспитание.

Затея пакостная, хотя мысль-то хорошая. К сожалению, результат оказался нулевой, поскольку ложной была исходная предпосылка: лень здесь ни при чем. Любой мог заметить, глядя на их землисто-бледную кожу. Кончилось тем, что один всегда спал на полу. И легко мог простудиться...

Тем временем к нам присоединился и Хайе. Он подмигивает мне и благоговейно потирает ручищу. Мы сообща пережили лучшие минуты своей армейской жизни. Было это вечером накануне отправки на фронт. Нас зачислили в один из полков с многозначным номером, но предварительно отвезли в гарнизон, для получения обмундирования, причем не в лагерь новобранцев, а в другую казарму. Отъезд — завтра, рано утром. Вечером мы улизнули оттуда, чтобы поквитаться с Химмельштосом. Слово себе дали, еще несколько недель назад. Кропп дошел даже до того, что вознамерился в мирное время изучить почтовое дело и позднее, когда Химмельштос станет вновь разносить письма, сделаться его начальником. И с упоением расписывал, как будет его тиранить. Потому-то Химмельштос и не сумел нас сломить — мы не теряли надежды когда-нибудь его прищучить, хотя бы и в конце войны.

Пока что решено было хорошенько намять ему бока. Нам-то ничего не грозит, если он нас не узнает, а утром мы ни свет ни заря все равно уезжаем.

Мы знали, в какой пивной Химмельштос торчал каждый вечер. Возвращаясь оттуда в казарму, он проходил по темной, незастроенной улице. Там-то мы и караулили за кучей камней. Я прихватил с собой наперник. Мы с трепетом душевным ждали, будет ли унтер один. Наконец послышались его шаги, точно его, не спутаешь, мы достаточно часто слышали их по утрам, когда распахивалась дверь и он орал: «Подъем!»

— Один? — прошептал Кропп.

— Один!

Мы с Тьяденом тихонько выбрались из-за кучи.

Вон уже взблеснула пряжка поясного ремня. Химмельштос, по всей видимости чуть навеселе, напевал и, ни о чем не подозревая, прошел мимо.

Подхватив наперник, мы тихонько метнулись вперед, нахлобучили ему на голову и дернули книзу, так что он стоял как бы в белом мешке и не мог поднять руки. Пение стихло.

Секундой позже подоспел Хайе Вестхус. Растопыренными руками отбросил нас назад, лишь бы оказаться первым. Предвкушая удовольствие, стал в позицию, развернулся — ручища как семафор, ладонь размером с совковую лопату — и отвесил по белому мешку удар, способный свалить быка.

Химмельштос кувырком отлетел метров на пять и начал орать. Но мы и это учли, потому что захватили с собой подушку. Хайе присел на корточки, положил подушку на колени, цапнул Химмельштоса за голову и прижал к подушке. Ор тотчас стал куда глуше. Время от времени Хайе давал ему вздохнуть, и тогда глухое бульканье оборачивалось роскошным звонким воплем, который тотчас снова притихал.

Тьяден отстегнул Химмельштосовы подтяжки и спустил ему штаны. Выбивалку он при этом держал в зубах. Потом встал и принялся за работу.

Восхитительное зрелище: Химмельштос на земле, Хайе, держа на коленях его голову, склоняется над ним, с дьявольской ухмылкой на лице и открытым от удовольствия ртом, потом дергающиеся полосатые подштанники, кривые ноги, при каждом шлепке выделывавшие в спущенных штанах диковинные вензеля, а выше — неутомимый Тьяден, словно этакий дровосек. В конце концов нам пришлось оттащить его чуть ли не силком, чтобы в свой черед поработать выбивалкой.

Затем Хайе поставил Химмельштоса на ноги и в заключение устроил маленький приватный спектакль. Широко размахнулся правой рукой, будто собираясь сорвать с неба звезды, и влепил Химмельштосу оплеуху. Тот рухнул наземь. Хайе поднял его, опять поставил перед собой и на сей раз вмазал классный хук слева. Химмельштос взвыл и на четвереньках пополз прочь. Полосатая почтальонская задница поблескивала в свете луны.

Мы галопом смылись.

На бегу Хайе еще раз оглянулся и злобно, с сытым удовлетворением и слегка загадочно произнес:

— Месть — это кривожадность.

Вообще-то Химмельштосу надо бы радоваться, ведь его вечная присказка, что один всегда должен воспитывать другого, дала результат, который он ощутил на собственной шкуре. Мы прекрасно усвоили его методы.

Он так и не узнал, кто ему все это подсудобил. Тем не менее разжился наперником, ведь, через час-другой вернувшись на то место, мы его не нашли.

Благодаря этому вечеру уезжали мы утром вполне спокойные и решительные. И какой-то тип с развевающейся бородой растроганно назвал нас геройскими парнями.

IV

Нас посылают на фронт строить укрепления. В сумерках подъезжают грузовики. Мы залезаем в кузов. Вечер теплый, сумерки укрывают нас словно одеяло, под защитой которого нам хорошо. Они сплачивают нас, скупердяй Тьяден даже угощает меня сигаретой и подносит огонь.

Мы стоим плечом к плечу, впритирку, сидеть невозможно. Да мы и не привыкли. Мюллер наконец-то в хорошем настроении, на нем новые сапоги.

Ворчат моторы, машины дребезжат и лязгают. Дороги разбиты, сплошь в ухабах. Фары включать нельзя, поэтому мы громыхаем прямо по колдобинам, так что едва не вылетаем из кузова. Однако нас это особо не беспокоит. Ну что может случиться, сломанная рука лучше дырки в животе, кое-кто чуть ли не мечтает об этакой удачной оказии вернуться домой.

Рядом длинной вереницей тянутся колонны подвоза боеприпасов. Торопятся, все время нас обгоняют. Мы отпускаем шуточки им вслед, они отвечают.

В поле зрения возникает стена — какой-то дом в стороне от дороги. Внезапно я навостряю уши. Обман слуха? И опять отчетливо слышу гусиный гогот. Смотрю на Качинского, он — на меня; мы понимаем друг друга.

— Кач, я слышу кандидата в котелок...

Он кивает:

— Сделаем, на обратном пути. Я тут знаю, что к чему.

Конечно, Кач знает, что к чему. У него наверняка на учете каждая гусиная лапа в радиусе двадцати километров.

Машины добрались до позиций артиллерии. Чтобы авиация не засекла орудия, их замаскировали кустами, словно для этакого военного праздника в саду. Зеленые укрытия выглядели бы весело и мирно, не будь под ними пушек.

Воздух мутнеет от орудийного дыма и тумана. Во рту чувствуется пороховая горечь. Выстрелы так грохочут, что наш грузовик вибрирует, следом катится гулкий рокот эха, все качается. Лица у нас незаметно меняются. Нам не надо в окопы, мы здесь для строительства укреплений, но на лице у каждого теперь написано: здесь фронт, мы в прифронтовой полосе. Это еще не страх. Тот, кто столько раз, как мы, бывал на переднем крае, становится толстокожим. Взбудоражены лишь молодые новобранцы. Кач их поучает:

— Это был калибр тридцать и пять. По выстрелу слыхать, а сейчас рванет.

Однако глухой отзвук попаданий сюда не достигает. Тонет в рокоте фронта. Кач прислушивается:

— Артобстрел нынешней ночью будет ого-го.

Мы все тоже прислушиваемся.

— Томми уже стреляют, — говорит Кропп.

Выстрелы доносятся отчетливо. Это английские батареи, справа от нашего участка. Они начали на час раньше. При нас всегда начинали ровно в десять.

— Чего это они надумали? — кричит Мюллер. — Видать, часы у них спешат.

— Говорю вам, обстрел будет ого-го, нюхом чую. — Кач вздергивает плечи.

Рядом с нами грохочут три выстрела. Струя огня наискось прошивает туман, орудия рычат и лязгают. Нас пробирает озноб, и мы радуемся, что рано утром опять вернемся в казармы.

Лица у нас не побледнели и не раскраснелись больше обычного; в них нет ни напряжения, ни расслабленности, и все же они иные. Мы чувствуем, что в крови включен контакт. Это не пустые слова, а факт. И включает этот контакт фронт, осознание фронта. В тот миг, когда свистят первые снаряды, когда выстрелы рвут воздух, в наших жилах, руках, глазах вдруг возникают опасливое ожидание, настороженность, усиленное внимание, странная восприимчивость всех чувств. Тело мгновенно приходит в состояние полной готовности.

Часто мне кажется, будто содрогающийся, вибрирующий воздух заражает нас своими беззвучными колебаниями и сам фронт излучает электричество, мобилизующее неведомые нервные окончания.

Всякий раз одно и то же: мы уезжаем хмурыми или веселыми солдатами, затем первые артиллерийские позиции — и любое слово наших разговоров звучит иначе.

Когда Кач, стоя у бараков, говорит: «Обстрел будет ого-го...» — он просто высказывает свое мнение, и всё; если же он говорит так здесь, ночью при луне фраза приобретает остроту штыка, с легкостью пронзает мысли, она куда ближе и своим мрачным смыслом — «обстрел будет ого-го» — обращена к пробудившемуся в нас подсознательному. Быть может, наша глубинная, сокровеннейшая жизнь, содрогнувшись, переходит к обороне.

Для меня фронт — зловещий водоворот. Находясь вдали от его центра в спокойной воде, уже чувствуешь его силу, затягивающую тебя, медленно, неотвратимо, без особого сопротивления. Но из земли, из воздуха к нам притекают охранительные силы — больше всего из земли. Ни для кого земля не значит так много, как для солдата. Когда он прижимается к ней, долго, страстно, когда лицом и всем телом зарывается в нее в смертном страхе перед огнем, она — единственный его друг, его брат, его мать, он выстанывает свой ужас и крик в ее безмолвие и безопасность, она вбирает их в себя, и снова отпускает его на десять секунд бега и жизни, и вновь принимает его, порой навек.

Земля... земля... земля!..

О земля, с твоими складками, ямами и впадинами, куда можно броситься, схорониться! Земля, в судороге кошмара, во всплеске истребления, в смертельном рыке разрывов ты дарила нам могучую встречную волну обретенной жизни! Неистовая буря почти в клочья изорванного бытия обратным потоком перетекала от тебя в наши руки, так что мы, спасенные, зарывались в тебя и в немом испуганном счастье пережитой минуты впивались в тебя губами!

Какой-то частицей своего существа мы при первом же грохоте снарядов мгновенно переносимся на тысячи лет вспять. В нас просыпается звериный инстинкт, ведет нас и защищает. Он не осознан, он куда быстрее, куда надежнее, куда безошибочнее сознания. Объяснить это невозможно. Идешь и не думаешь ни о чем — и вдруг лежишь во впадине, а над тобой во все стороны летят осколки, но ты не можешь вспомнить, чтобы услыхал снаряд или подумал, что надо лечь. Если б доверился сознанию, уже был бы кучкой растерзанной плоти. Тут действовало то самое провидческое чутье, оно рвануло тебя к земле и спасло, а ты и знать не знаешь как. Не будь его, от Фландрии до Вогез давно бы не осталось ни единой живой души.

Мы уезжаем хмурыми или веселыми солдатами, а в зону, где начинается фронт, прибываем уже людьми-животными.

Грузовики въезжают в редколесье. Минуют походные кухни. За леском мы выбираемся из кузовов. Грузовики уезжают обратно. Утром, перед рассветом, они нас заберут.

Туман и пороховой дым висят над лугами на уровне груди, освещенные луной. По дороге идут войска. Каски тускло взблескивают в лунном свете. Головы и винтовки торчат из белого тумана, кивающие головы, покачивающиеся стволы винтовок.

Дальше впереди тумана нет. Головы оборачиваются фигурами; куртки, брюки, сапоги выныривают из тумана, как из молочного пруда. Формируются в колонну. Колонна шагает прямо вперед, фигуры сливаются в клин, одиночек уже не различить, лишь темный клин ползет вперед, странно пополняемый выплывающими из туманного пруда головами и винтовками. Колонна, не люди.

По боковой дороге подкатывают легкие орудия и патронные повозки. Спины лошадей блестят под луной, движения животных красивы, они вскидывают головы, сверкают глазами. Орудия и повозки скользят мимо на расплывчатом фоне лунного ландшафта, всадники в касках похожи на рыцарей минувших времен, неведомо отчего зрелище красивое, завораживающее.

Мы направляемся к складу инженерного имущества. Там одни взваливают на плечи витые острые железные пруты, другие продевают гладкие железные штыри в катушки с колючей проволокой — и снова в путь. Груз неудобный и тяжелый.

Местность становится все более изрытой. Передние предупреждают:

— Внимание, слева глубокая воронка... Осторожно, окоп.

Глаза напряжены, ноги и палки ощупывают почву, прежде чем принять тяжесть тела. Неожиданно резкая остановка — налетаешь лицом на катушку с проволокой, которую тащит идущий перед тобой, чертыхаешься.

Путь преграждают разбитые повозки. Новый приказ: «Туши сигареты и трубки». Мы возле самых окопов.

Между тем окончательно стемнело. Обходим лесок — и перед нами участок фронта.

Зыбкое, красноватое свечение по всему горизонту от края до края. Оно в безостановочном движении, в проблесках дульного пламени батарей. Над ним взмывают ввысь серебристые и красные шары сигнальных ракет, лопаются и дождем белых, зеленых и красных звезд сыплются наземь. А вот взлетают французские ракеты, раскрывают в воздухе шелковый зонтик и неспешно сплывают вниз. Они ярко, как днем, озаряют все вокруг, их свет достигает до нас, мы видим на земле свои резкие тени. Эти ракеты парят в вышине по нескольку минут, пока не сгорят. И тотчас в воздух поднимаются новые, повсюду, а вперемешку с ними опять зеленые, красные, голубые.

— Заваруха, — говорит Кач.

Гром орудий усиливается до глухого слитного грохота и вновь распадается на залпы. Трещат сухие очереди пулеметов. Воздух над нами полнится незримой гонкой, воем, свистом и шипением. Это снаряды малого калибра; но чуть не ежеминутно сквозь ночь летят и крупнокалиберные чушки, тяжелые снаряды, взрывающиеся далеко за нами. Их вопли — трубные, хриплые, далекие, как у оленей во время гона, а путь пролегает высоко над воем и свистом снарядов помельче.

Прожектора принимаются ощупывать черное небо. Скользят по нему словно исполинские линейки, сужающиеся к концу. Вот один замирает, слегка подрагивая. Сию же минуту рядом оказывается второй, они скрещиваются, между ними — черная букашка, пытается улизнуть: самолет. Ослепленный, он теряет уверенность, бестолково мечется.

Железные прутья мы забиваем в землю, на равном расстоянии один от другого. Катушку всегда держат двое, остальные разматывают колючую проволоку. Мерзкая проволока, с частыми длинными колючками. Я отвык разматывать и распарываю ладонь.

Через несколько часов все сделано. Но до приезда грузовиков еще есть время. Большинство ложится и засыпает. Я тоже пытаюсь. Только вот становится холодновато. Замечаешь, что море близко, от холода то и дело просыпаешься.

Один раз я засыпаю крепко. И когда вдруг резко подскакиваю, не знаю, где нахожусь. Вижу звезды, вижу ракеты, и на миг мне кажется, что заснул я на садовом празднике. Я не знаю, утро сейчас или вечер, лежу в бледной колыбели сумерек и жду ласковых слов, которые непременно придут, ласковые, спасительные... я плачу? Подношу руку к глазам, так странно, я еще ребенок? Нежная кожа... это длится секунду, потом я узнаю́ силуэт Качинского. Он сидит спокойно, старый солдат, курит трубку, конечно же с крышечкой. Заметив, что я проснулся, говорит:

— Здорово ты подскочил. Всего-навсего фугас, вон туда, в кусты угодил.

Я сажусь, мне до странности одиноко. Хорошо, что Кач рядом. Задумчиво глядя в сторону фронта, он роняет:

— Вполне бы красивый фейерверк, кабы не такой опасный.

Позади нас взрывается снаряд. Несколько новобранцев испуганно дергаются. Через минуту-другую еще один, ближе первого. Кач выколачивает трубку.

— Мощный обстрел.

Началось. Мы отползаем, кое-как, в спешке. Следующее попадание — уже среди нас. Кто-то кричит. У горизонта поднимаются зеленые ракеты. Разлетаются комья грязи, жужжат осколки. Слышно, как они шлепаются наземь, когда грохот обстрела давно утих.

Рядом с нами лежит перепуганный белобрысый новобранец. Уткнулся лицом в ладони. Каска откатилась в сторону. Я подтаскиваю ее, хочу нахлобучить ему на голову. Он поднимает глаза, отталкивает каску и, как ребенок, прячет голову у меня под мышкой, жмется к моей груди. Узкие плечи вздрагивают. Плечи, как у Кеммериха.

Я оставляю его в покое. А чтобы от каски была хоть какая-то польза, водружаю ее ему на задницу, не от дури, а вполне сознательно, ведь это самая высокая точка. Мяса там, конечно, много, но раны чертовски болезненны, вдобавок в лазарете придется месяцами валяться на животе, а после почти наверняка хромать.

Где-то крепко долбануло. Вперемешку с разрывами долетают крики.

Наконец становится спокойно. Огонь пронесся над нами и теперь обрушивается на последние резервные окопы. Мы решаемся глянуть вокруг. В небе порхают красные ракеты. Вероятно, будет атака.

У нас по-прежнему спокойно. Я сажусь, трясу новобранца за плечо:

— Все позади, малыш! И на сей раз обошлось.

Он ошалело озирается по сторонам. Я утешаю:

— Ничего, привыкнешь.

Он замечает свою каску, надевает ее на голову. Медленно приходит в себя. И вдруг краснеет до ушей, вид сконфуженный. Осторожно ощупывает сзади штаны, смотрит на меня в мучительном замешательстве. Я сразу смекаю: окопная болезнь. Каску я положил ему на ягодицы, понятно, не для этого, но все же успокаиваю:

— Это не позор, после первого обстрела народ и покрепче тебя сидел с полными штанами. Ступай за кусты, выбрось подштанники, и порядок.

Он ретируется. Становится тише, но крики не умолкают.

— Что случилось, Альберт? — спрашиваю я.

— Прямые попадания по колоннам.

Крик продолжается. Это не люди, не могут люди так жутко кричать.

— Раненые лошади, — говорит Кач.

Я никогда еще не слыхал, как кричат лошади, и просто не могу поверить. Там стонет беда мира, истерзанная тварь, дикая, кошмарная боль. Мы побледнели. Детеринг встает на ноги:

— Живодеры! Живодеры! Пристрелите вы их!

Он фермер и хорошо знает лошадей. Ему не все равно. И как нарочно, канонада почти смолкла. Тем отчетливее слышен крик животных. Уже не понять, откуда он берется в этом спокойном теперь, серебряном ландшафте, он незрим, зловещ, он повсюду между небом и землей, он нарастает сверх всякой меры... Рассвирепевший Детеринг вопит:

— Пристрелите их, пристрелите, мать вашу!

— Им же надо сперва вынести людей, — говорит Кач.

Мы встаем, ищем то место. Когда увидишь животных, выдержать будет легче. У Майера с собой бинокль. Мы видим темную группу санитаров с носилками и черные шевелящиеся глыбы. Это раненые лошади. Но не все.

Несколько мечутся поодаль, падают и снова бегут. У одной распорот живот, из раны вывалились кишки. Она запутывается в них, падает, однако опять встает.

Детеринг хватает винтовку, прицеливается. Кач выбивает оружие у него из рук:

— Ты сбрендил?

Детеринга трясет, он швыряет винтовку на землю.

Мы садимся, затыкаем уши. Но страшные жалобы и стоны не заглушить, их слышно повсюду.

Все мы способны много чего стерпеть. Но тут нас прошибает холодный пот. Хочется вскочить и бежать отсюда, куда угодно, лишь бы не слышать этих криков. Притом кричат-то не люди, а всего-навсего лошади.

От темного клубка снова отделяются носилки. Затем щелкают выстрелы. Глыбы дергаются, уплощаются. Наконец-то! Но это пока не конец. Люди не могут подобраться к раненым животным, которые в ужасе бегут прочь, вся боль рвется криком из широко распахнутых пастей. Какой-то человек опускается на колено, выстрел — одна из лошадей падает, потом еще одна. Последняя, отталкиваясь передними ногами, вертится по кругу, словно карусель, сидит на крупе и вращается по кругу, выпрямив передние ноги; вероятно, у нее перебит позвоночник. Подбежавший солдат стреляет. Медленно, покорно она падает наземь.

Мы отнимаем руки от ушей. Крик умолк. Лишь протяжный замирающий вздох еще висит в воздухе. Потом опять только ракеты, свист снарядов и звезды — чуть ли не странно.

Детеринг идет прочь, ворчит на ходу:

— Хотел бы я знать, чем они-то провинились.

Позднее он снова подходит к нам. Голос у него взволнованный, почти торжественный, когда он произносит:

— Вот что я вам скажу: величайшая подлость — посылать животных на войну.

Мы начинаем обратный путь. Пора к грузовикам. Небо чуть посветлело. Три часа утра. Дует свежий прохладный ветер, тусклый час делает наши лица серыми.

Гуськом мы пробираемся среди окопов и воронок, опять попадаем в туман. Качинский встревожен, это дурной знак.

— Ты чего, Кач? — спрашивает Кропп.

— Хотелось бы сейчас быть дома.

«Дома», то бишь в бараках.

— Скоро будем, Кач.

Он нервничает:

— Не знаю, не знаю...

Мы уже в ходах сообщения, потом в лугах. Завиднелся лесок, здесь нам знакома каждая пядь земли. Вон и егерское кладбище — холмики и черные кресты.

В этот миг позади раздается свист, нарастает до рева, грохочет. Мы пригнулись — в сотне метров перед нами в воздух рвется туча огня.

Еще через минуту второй разрыв — кусок леса медленно вспучивается, три-четыре дерева взлетают в воздух, рассыпаясь на куски. А тем временем, шипя, как котельные вентили, приближаются очередные снаряды — шквальный обстрел.

— В укрытие! — рявкает кто-то. — В укрытие!

Луга совершенно плоские, лес слишком далек и опасен; иного укрытия, кроме кладбища и могильных холмиков, нет. Впотьмах ковыляем туда и, точно плевки, вмиг прилипаем за холмиками.

Очень вовремя. Темнота превращается в безумие. Бушует, неистовствует. Сгустки тьмы еще более темной, чем ночь, исполинскими горбами несутся на нас, пролетают над нами. Огонь разрывов заливает кладбище неверным светом. Деваться некуда. При вспышках разрывов я бросаю взгляд на луга. Там бурное море, острые языки пламени от снарядов бьют ввысь, как фонтаны. Не пройдешь, ни под каким видом.

Лес исчезает, расплющенный, разодранный, раскромсанный. Надо оставаться здесь, на кладбище.

Земля прямо перед нами вздыбливается.

Дождем сыплются комья. Я чувствую толчок. Осколок располосовал рукав. Сжимаю кулак. Не болит. Но это меня не успокаивает, раны обычно начинают болеть не сразу. Провожу ладонью по плечу. Поцарапано, но цело. И тотчас удар по голове, да такой, что сознание мутится. Молнией мелькает мысль: не терять сознания! Я погружаюсь в черную жижу и сразу же выныриваю. Осколок шарахнул по каске, но был на излете и не пробил ее. Я протираю глаза. Передо мной зияет воронка, я смутно ее различаю. Снаряды редко попадают в одно и то же место, поэтому стоит там укрыться. Бросаюсь вперед, распластавшись над землей, как рыба над водой, снова свист, я быстро съеживаюсь, ощупью ищу укрытие, чувствую что-то слева, прижимаюсь, оно уступает, у меня вырывается стон, земля лопается, ударная волна грохочет в ушах, я заползаю под это уступчивое, укрываюсь им, это дерево, ткань, укрытие, укрытие, жалкое укрытие от града осколков.

Открываю глаза, пальцы стискивают рукав, плечо. Раненый? Я кричу, ответа нет — убитый. Рука продолжает ощупывать деревянные обломки, и тут я вспоминаю, что мы на кладбище.

Однако обстрел пересиливает все. От него теряешь голову, я заползаю еще глубже под гроб, пусть он будет мне защитой, даже если в нем сама смерть.

Впереди зияет воронка. Я не выпускаю ее из виду, цепляюсь глазами, словно кулаками, мне надо туда, одним прыжком. Тут я получаю удар по лицу, чья-то рука стискивает мое плечо — мертвец ожил? Рука трясет меня, я поворачиваю голову, в секундной вспышке вижу лицо Качинского, рот у него широко открыт, он кричит, но я ничего не слышу, он трясет меня, приближается; секунда затишья — и до меня доносится его голос:

— Газ... га-аз... га-аз! Передай дальше!

Я хватаюсь за футляр с маской... Чуть поодаль от меня кто-то лежит. Думаю я теперь лишь об одном: он должен знать.

— Гааaз... гааaз!

Я кричу, ползу к нему, бью его футляром противогаза, он ничего не замечает — еще раз и еще! — он только съеживается... это новобранец... Я в отчаянии оглядываюсь на Кача, тот надел маску, я тоже выхватываю свою, каска летит в сторону, я доползаю до парня, его футляр рядом со мной, хватаю маску, нахлобучиваю ему на голову, он дергает маску книзу... я отпускаю руки — и вдруг мигом оказываюсь в воронке.

Глухие хлопки газовых снарядов примешиваются к грому фугасов. Вдобавок гудит колокол, гонги, звон металла сообщают везде и всюду: газ... газ... гааз...

Позади меня что-то плюхается, раз и другой. Я протираю запотевшие стекла маски. Это Кач, Кропп и кто-то еще. Вчетвером мы лежим в тяжелом, настороженном напряжении, стараемся почти не дышать.

Первые минуты в противогазной маске решают о жизни и смерти: герметична ли маска? Мне знакомы жуткие лазаретные картины: пострадавшие от газа, целыми днями выкашливающие сожженные клочья легких.

Осторожно, прижав рот к патрону, дышу. Газ ползет по земле, сплывает во все углубления. Точно мягкая, широкая медуза, стекает в нашу воронку, заполняет ее. Я подталкиваю Кача: лучше выбраться отсюда и залечь наверху, ведь газ именно в ямах и собирается. Но мы не успеваем, опять ураганный огонь. Кажется, грохочут уже не снаряды, а бушует сама земля.

С оглушительным треском в воронку обрушивается что-то черное. Грохается прямо рядом с нами — вырванный из могилы гроб.

Я вижу, что Кач шевелится, ползу к нему. Гроб долбанул четвертого в нашей воронке по вытянутой руке. Солдат пытается другой рукой сорвать с себя маску. Вовремя подоспевший Кропп резко заводит ему руку за спину и крепко держит.

Мы с Качем стараемся освободить раненую руку. Крышка гроба разбита, держится кое-как, мы легко срываем ее, выбрасываем покойника, он катится на дно, потом пробуем расшатать нижнюю часть.

К счастью, солдат теряет сознание, и Альберт приходит нам на помощь. Теперь можно не слишком осторожничать, мы работаем изо всех сил, пока гроб со вздохом не уступает подсунутой под него лопатке.

Светает. Кач берет кусок крышки, подкладывает под размозженное плечо, и мы обматываем его всеми своими индивидуальными пакетами. Больше мы сейчас ничего сделать не можем.

Голова в маске гудит, готовая лопнуть. Легкие напряжены, дышат все тем же горячим, спертым воздухом, жилы на висках набухли, кажется, вот-вот задохнешься...

Серый свет просачивается в воронку. По кладбищу гуляет ветер. Я приподнимаюсь над краем. В грязном сумраке передо мной лежит оторванная нога, сапог совершенно целый, сейчас я вижу все вполне отчетливо. Но вот несколькими метрами дальше кто-то встает, я протираю стекла, которые от волнения сразу же опять запотевают, смотрю — тот человек уже без противогаза.

Жду еще несколько секунд — он не падает, озирается по сторонам, делает шаг-другой, ветер развеял газ, воздух чист, и я, хрипя, тоже сдергиваю маску и падаю, воздух, как холодная вода, струится в меня, на глазах выступают слезы, волна накрывает меня, и я проваливаюсь во тьму.

Разрывы прекратились. Я оборачиваюсь к воронке, делаю знак остальным. Они вылезают оттуда, срывают противогазы. Мы подхватываем раненого, один поддерживает его разбитую руку. И поспешно уходим.

Все кладбище разворочено. Повсюду валяются гробы и трупы. Они убиты еще раз, но каждый из них, разорванных на куски, спас одного из нас.

Ограда разнесена в клочья, рельсы полевой железной дороги, выдранные из земли, искореженные, торчат высоко в воздух. У нас на пути кто-то лежит. Мы останавливаемся, только Кропп с раненым идет дальше.

Лежащий — молоденький новобранец. Бедро в крови; он до того измучен, что я хватаюсь за фляжку, где у меня чай с ромом. Кач перехватывает мою руку, наклоняется к парню:

— Куда тебя ранило, товарищ?

Тот показывает глазами, говорить нет сил.

Мы осторожно разрезаем брюки. Он стонет.

— Спокойно, спокойно, сейчас станет легче...

Если он ранен в живот, пить нельзя. Его не рвало, а это добрый знак. Мы осматриваем бедро — сплошное месиво рваной плоти и обломков костей. Попадание в сустав. Этот парень никогда больше не сможет ходить.

Смочив палец, я провожу ему по виску, даю глотнуть из фляжки. Глаза немного оживают. Только сейчас мы замечаем, что правое плечо у него тоже в крови.

Кач старательно раздергивает два перевязочных пакета, чтобы закрыть ими рану. Я ищу, чем бы замотать сверху. Ничего больше нет, поэтому я разрезаю штанину раненого еще выше, чтобы вместо бинта воспользоваться его подштанниками. Но их нет. Присматриваюсь: это давешний белобрысый парнишка.

Кач тем временем отыскал индивидуальные пакеты в карманах одного из убитых, и мы осторожно прикрываем рану.

— Сейчас принесем носилки, — говорю я парнишке, который не сводит с нас глаз.

Он открывает рот, шепчет:

— Не уходите...

— Мы скоро вернемся. Принесем для тебя носилки, — говорит Кач.

Невозможно понять, дошло ли до него; он хнычет, как ребенок, нам вслед:

— Не уходите...

Кач оглядывается, шепчет:

— Впору взять револьвер, чтобы это прекратилось!

Парнишка вряд ли выдержит перевозку, и вообще ему осталось лишь несколько дней. Все предшествующее будет сущим пустяком по сравнению с этими последними днями перед смертью. Сейчас он еще оглушен и ничего толком не чувствует. А через час превратится в кричащий комок нестерпимой боли. Дни, которые он еще может прожить, означают для него сплошное безумное мучение. И кому прок от того, проживет он эти дни или нет...

Я киваю:

— Да, Кач, впору взять револьвер.

— Давай сюда! — Он останавливается. Решился, я вижу. Мы смотрим вокруг, но мы уже не одни. Впереди кучкой собирается народ, головы высовываются из воронок.

Мы идем за носилками.

Кач мотает головой:

— Такие молодые парни... — И повторяет: — Такие молодые, ни в чем не повинные парни...

Наши потери меньше, чем можно бы предположить: пятеро убитых и восемь раненых. Огневая атака продолжалась недолго. Двое наших убитых лежат в развороченной могиле, остается только засыпать их землей.

Мы продолжаем путь. Гуськом шагаем друг за другом. Раненых доставляем в санчасть. Утро хмурое, санитары снуют с номерами и записками, раненые стонут. Начинается дождь.

Через час мы у своих грузовиков, залезаем в кузов. Там свободнее, чем раньше.

Дождь усиливается. Достаем брезент, накрываем головы. Капли барабанят по брезенту, струями стекают вниз. Машины шлепают по колдобинам, мы в полусне покачиваемся взад-вперед.

Двое передних вооружены длинными раздвоенными палками. Они следят за телефонными проводами, висящими поперек дороги так низко, что могут сорвать тебе голову. Эти двое подхватывают их рогатками, поднимают повыше. Мы слышим их предостерегающие возгласы: «Внимание! Провода!» — и в полусне то приседаем, то снова выпрямляемся.

Однообразно покачиваются машины, однообразно звучат возгласы, однообразно льет дождь. Льет на головы нам, на головы убитых впереди, на тело маленького новобранца с раной, которая слишком велика для его бедра, льет на могилу Кеммериха, льет в наши сердца.

Откуда-то доносится грохот разрыва. Мы вздрагиваем, глаза напряжены, руки опять готовы швырнуть тело через борт грузовика в кювет.

Ничего не происходит. Опять монотонные возгласы: «Внимание... Провода...» — и мы приседаем, опять в полусне.

V

Затруднительно приканчивать каждую вошь, когда их сотни. Они довольно жесткие, и давить их ногтями по большому счету скучно. Поэтому Тьяден, соорудив из проволоки держалку, пристроил над горящим свечным огарком крышку от банки с ваксой. На эту маленькую сковородку все просто бросают вшей: щелк! — и твари каюк.

Мы сидим кружком, рубахи на коленях, голые до пояса в тепле, руки работают. У Хайе вши какие-то особенно аристократичные, с красным крестиком на голове. Он утверждает, что вывез их из лазарета в Туру, позаимствовал лично у полкового врача. Еще он твердит, что жир, потихоньку накапливающийся в жестяной крышке, использует для смазки сапог, и целых полчаса покатывается со смеху над своей шуткой.

Правда, сегодня он большого успеха не имеет; нас слишком занимает кое-что другое.

Слух оказался верным. Химмельштос здесь. Прибыл вчера, мы уже слышали знакомый голос. Говорят, дома он чересчур допек на пашне нескольких новобранцев. Не подозревая, что один из них — сынок важного чиновника. На том и свернул себе шею.

Тут он здорово удивится. Тьяден уже не один час мозгует, что скажет ему в ответ. Хайе задумчиво разглядывает свою лапищу и подмигивает мне. Та взбучка была кульминацией его существования; он рассказывал, что до сих пор иной раз видит ее во сне.

Кропп и Мюллер ведут разговор. Кропп единственный добыл себе полный котелок чечевицы, вероятно на кухне у саперов. Мюллер алчно косится на котелок, но сдерживается, спрашивает:

— Альберт, что бы ты сделал, если б сейчас вдруг настал мир?

— Мира нету! — отрубает Альберт.

— Ну а если... — не отстает Мюллер. — Что бы ты сделал?

— Смылся бы отсюда! — бурчит Кропп.

— Это ясно. А потом?

— Напился бы, — говорит Альберт.

— Не болтай чепухи, я серьезно...

— Я тоже, — отвечает Альберт. — Что еще-то делать?

Кач явно заинтригован вопросом. Стребовав с Кроппа в качестве дани толику чечевицы, он надолго задумывается и наконец изрекает:

— Напиться, конечно, можно, а вообще-то ближайшим поездом домой, к женке. Мир ведь, Альберт, старина...

Он роется в клеенчатом бумажнике, достает фотографию, гордо показывает всем:

— Старуха моя! — Потом прячет снимок, чертыхается: — Пропади она пропадом, война эта хренова...

— Тебе хорошо говорить, — вставляю я. — У тебя сынишка есть и жена.

— Верно, — кивает он, — я должон позаботиться, чтоб они не голодали.

Мы смеемся.

— Со жратвой проблем не будет, Кач, в случае чего реквизируешь.

У Мюллера подвело живот, и он никак не угомонится. Тормошит Хайе Вестхуса, отвлекает от мечтаний о взбучке:

— Хайе, вот ты бы что сделал, будь сейчас мир?

— Надо бы ему вздуть тебя хорошенько за этакие разговоры, — вмешиваюсь я, — ты вообще-то почему завел об этом?

— По кочану, — коротко бросает в ответ Мюллер и опять поворачивается к Хайе Вестхусу.

Хайе неожиданно в большом затруднении. Качает веснушчатой черепушкой:

— То есть когда уже не будет войны, да?

— Правильно. Точно подметил.

— Тогда ведь сызнова бабы сыщутся, а? — Хайе облизывается.

— Ясное дело.

— Забодай меня комар! — говорит Хайе, и лицо у него оживляется. — Я бы тогда подцепил крепкую деваху, знаешь, этакую гренадершу, в теле, чтоб было за что подержаться, и в перины! Представляешь, настоящие перины на кровати с пружинным матрасом, ох, ребята, я б неделю штанов не надевал.

Все молчат. Картина слишком великолепна. По коже аж мурашки пробегают. В конце концов Мюллер берет себя в руки и спрашивает:

— А потом?

Пауза. И Хайе несколько путано заявляет:

— Будь я унтер-офицером, я бы покудова остался на военке и капитулировал.

— Хайе, у тебя никак шарики за ролики заехали! — вырывается у меня.

Он добродушно спрашивает:

— Ты когда-нибудь торф копал? Попробуй, тогда и говори. — С этими словами он достает из-за голенища ложку и зачерпывает из Альбертова котелка.

— Вряд ли это хуже рытья окопов в Шампани, — отвечаю я.

Хайе жует чечевицу, ухмыляется:

— Только длится дольше. И не посачкуешь.

— Хайе, дружище, дома-то все равно лучше.

— Отчасти. — С открытым ртом он погружается в раздумья.

У него на лице написано, о чем он думает. Бедная лачуга среди болот, с утра до вечера тяжелый труд на жаре, от которой не спрячешься, скудный заработок, грязная батрацкая роба...

— В мирное время на военке никаких забот, — сообщает он, — каждый день кормежка на столе, иначе поднимешь хай, и койка есть, и каждую неделю чистое белье, прямо как барин, исправляешь унтер-офицерскую службу, мундир у тебя любо-дорого глядеть... вечером свободен, идешь в пивную.

Хайе необычайно горд своей идеей. Прямо-таки упивается ею.

— Оттрубишь двенадцать лет, получаешь пенсионный билет и подаешься в сельские жандармы. Целыми днями гуляй не хочу. — Картины будущего бросают его в пот. — Представляешь, какое тебя ждет обхождение? Тут рюмашка коньяку, там пол-литра. С жандармом-то всяк хочет ладить.

— Ты же никогда не станешь унтер-офицером, Хайе, — вставляет Кач.

Хайе в замешательстве глядит на него, молчит. Пожалуй, думает он теперь о погожих осенних вечерах, о воскресеньях на пустоши, о деревенских колоколах, о вечерах и ночах с девахами-работницами, о гречневых блинах с салом, о беззаботных часах за разговором в кабаке...

С таким множеством фантазий ему быстро не совладать, и он лишь сердито ворчит:

— И чего вы всегда про всякие глупости пытаете?

Он через голову натягивает рубаху, застегивает куртку.

— А ты бы что сделал, Тьяден? — окликает Кропп.

У Тьядена один ответ:

— Проследил бы, чтоб Химмельштос от меня не смылся.

Вероятно, он бы с огромным удовольствием упрятал его в клетку и каждое утро охаживал дубинкой. Кроппу он мечтательно говорит:

— На твоем месте я бы непременно стал лейтенантом. Муштруй его тогда сколько хошь, чтоб у него дым из ушей валил.

— А ты, Детеринг? — не унимается Мюллер. Со своими расспросами он прирожденный школьный наставник.

Детеринг неразговорчив. Но на сей раз отвечает. Глядит в пространство и произносит одну-единственную фразу:

— Я бы аккурат успел к уборке урожая. — Потом встает и уходит.

Тревожится он. Жене приходится хозяйничать в одиночку. При том еще и двух лошадей реквизировали. Каждый день он читает газеты, нет ли дождя в его ольденбургских краях. А то ведь сено не свезешь.

В этот миг появляется Химмельштос. Шагает прямиком к нашей компании. Все лицо у Тьядена идет пятнами. Он растягивается на траве и от волнения зажмуривает глаза.

Химмельштос слегка в нерешительности, замедляет шаг. Но все же подступает ближе. Вставать никто и не думает. Кропп с интересом смотрит на него.

Он останавливается перед нами, ждет. А поскольку все молчат, изрекает:

— Ну?

Проходит несколько секунд, Химмельштос явно не знает, как себя вести. Он с превеликим удовольствием устроил бы нам сейчас пробежку. Но, как видно, уже усвоил, что фронт не казарменный плац. Он делает новую попытку, на сей раз обращается не ко всем, а к одному, надеется, что так скорее получит ответ. Ближе всех к нему Кропп, который и удостаивается чести:

— Ба, вы тоже здесь?

Однако Альберт ему не друг и оттого лишь коротко бросает:

— Немного дольше, чем вы, полагаю.

Рыжеватые усы подрагивают.

— Вы что же, знать меня не хотите, а?

Тьяден открывает глаза:

— Нет, почему же.

Химмельштос поворачивается к нему:

— Да ведь это Тьяден!

Тьяден поднимает голову:

— А знаешь, кто ты?

Химмельштос ошарашен:

— С каких это пор мы на «ты»? В придорожной канаве вместе не лежали.

Он совершенно не в состоянии совладать с ситуацией. Такой открытой враждебности никак не ожидал. Но пока что остерегается; наверняка наслушался чепухи насчет выстрелов в спину.

После фразы о придорожной канаве у Тьядена от злости даже остроумие прорезается:

— Не-а, там ты в одиночку отдыхал.

Химмельштос тоже закипает. Однако Тьяден поспешно опережает его. Он должен выдать заготовленный ответ:

— Хочешь знать, кто ты? Сволочь, вот кто! Давно хотел тебе сказать.

Многомесячное удовлетворение светится в его поросячьих глазках, когда он выкрикивает «сволочь».

Теперь и Химмельштосу нет удержу:

— Ты чего добиваешься, сучонок паршивый, мразь грязнорылая? Встать, руки по швам, когда начальник к вам обращается!

Тьяден величественно машет рукой:

— Вольно, Химмельштос. Можете идти.

Химмельштос — просто рассвирепевший

строевой устав. Сам кайзер не мог бы оскорбиться сильнее.

— Тьяден, приказываю вам встать! — рычит он.

— Еще что-нибудь? — спрашивает Тьяден.

— Вы намерены выполнять мой приказ или нет?

Тьяден хладнокровно и однозначно отвечает, сам того не зная, знаменитейшей цитатой из классика. Одновременно он проветривает свой задний фасад.

Химмельштос устремляется прочь:

— Под трибунал пойдете!

Он исчезает в направлении канцелярии.

Хайе и Тьяден разражаются громовым торфяниковским хохотом. Хайе хохочет так, что вывихивает себе челюсть и вдруг беспомощно застывает с разинутым ртом. Альберт ударом кулака ставит ему челюсть на место.

Кач встревожен:

— Если он нажалуется, будет хреново.

— Думаешь, нажалуется? — спрашивает Тьяден.

— Наверняка, — отвечаю я.

— По меньшей мере на пять дней под арест загремишь, — говорит Кач.

Тьядена это ничуть не пугает:

— Пять дней губы — пять дней покоя.

— А если тебя в крепость закатают? — допытывается дотошный Мюллер.

— Тогда война для меня кончится.

Тьяден везунчик. Его ничто не тревожит. Вместе с Хайе и Леером он уходит, чтобы его не нашли в первоначальной суматохе.

Мюллер все еще не угомонился. Опять приступает к Кроппу:

— Альберт, если б ты сейчас вправду вернулся домой, то что бы делал?

Кропп сыт и оттого более покладист:

— Сколько же нас тогда будет в классе?

Мы подсчитываем: семеро из двадцати убиты, четверо ранены, один в психушке. Стало быть, максимум двенадцать человек.

— Трое из них лейтенанты, — говорит Мюллер. — Думаешь, они позволят Кантореку орать на них?

Мы так не думаем, да и сами больше не позволим на себя орать.

— Что ты, собственно, думаешь о тройственном действии в «Вильгельме Телле»? — вдруг вспоминает Кропп, покатываясь со смеху.

— Какие цели ставил перед собой гёттингенский «Союз рощи»? — вопрошает и Мюллер, неожиданно очень строго.

— Сколько детей было у Карла Смелого? — спокойно парирую я.

— Из вас, Боймер, ничего в жизни не выйдет, — квакает Мюллер.

— Когда состоялась битва при Заме? — интересуется Кропп.

— Вам, Кропп, недостает моральной серьезности, садитесь, три с минусом, — заявляю я.

— Какие задачи Ликург считал важнейшими в государстве? — шепчет Мюллер, поправляя незримое пенсне.

— Как правильно: «Мы, немцы, боимся Бога, а больше никого на свете» или «Мы, немцы, страшимся...»? — вставляю я.

— Какова численность населения Мельбурна? — щебечет в ответ Мюллер.

— Как вы намерены жить, если не знаете этого? — возмущенно спрашиваю я у Альберта.

— Что такое когезия? — в свою очередь решительно вопрошает он.

Из всего этого мы помним уже не больно много. Проку-то от него не было никакого. Но никто в школе не научил нас, как закурить сигарету в дождь и ветер, как разжечь костер из сырых дров или что штыком лучше всего бить в живот, ведь тогда лезвие не застрянет между ребер.

Мюллер задумчиво произносит:

— Зачем это нужно? Все равно придется опять сесть на школьную скамью.

Я считаю, что это исключено:

— Может, сдадим досрочно.

— В таком случае без подготовки не обойтись. Да если и сдашь, что тогда? Быть студентом вряд ли намного лучше. Если нету денег, придется зубрить.

— Все ж таки чуть получше. Правда, то, что тебе там вдалбливают, полная ерунда.

Кропп подытоживает общий настрой:

— Разве можно принимать это всерьез, если был здесь, на фронте?

— Но ведь нужно иметь профессию, — замечает Мюллер, будто Канторек собственной персоной.

Альберт ножиком чистит ногти. Нас удивляет этакое чистоплюйство. А он просто задумался. Откладывает ножик и говорит:

— То-то и оно. Кач, Детеринг и Хайе вернутся к своей профессии, потому что уже ее имели. Химмельштос тоже. А у нас профессии не было. И как нам после всего этого, — он кивает в сторону фронта, — привыкать к профессии?

— Вот были бы рантье, могли бы жить отшельниками в лесу... — говорю я и сразу стыжусь этакой заносчивости.

— Н-да, что будет, когда мы вернемся?.. — произносит Мюллер, даже он обескуражен.

Кропп пожимает плечами:

— Не знаю. Главное — вернуться, а там видно будет.

Вообще-то мы все в растерянности.

— Так чем же можно бы заняться? — спрашиваю я.

— Мне ничего не хочется, — устало отвечает Кропп. — Однажды все равно умрешь — и что тогда? Я вообще не верю, что мы вернемся.

— Знаешь, Альберт, когда я размышляю об этом, — помолчав, говорю я и переворачиваюсь на спину, — мне бы хотелось, когда я услышу слово «мир» и вправду будет мир, сделать что-нибудь невообразимое, ведь просто голова кругом идет. Что-нибудь такое, ради чего стоило пройти эту заваруху, понимаешь? Только вообразить себе ничего не могу. Я вижу возможности, но меня тошнит от этой шарманки с профессией, учебой, жалованьем и прочим, ведь все это было всегда и вызывает отвращение. Я ничего не нахожу, Альберт... ничего.

Все вдруг кажется мне до отчаяния безнадежным.

Кропп думает о том же:

— Вообще-то нам всем придется туго. Интересно, там, на родине, это хоть иногда кого-нибудь тревожит? Два года стрельбы и ручных гранат — их с себя не стряхнешь как перчатку...

Мы согласны, сходным образом обстоит с каждым, не только с нами здесь, а всюду, с каждым, кто находится в таком же положении, просто один чувствует это больше, другой — меньше. Такова общая судьба нашего поколения.

Альберт вслух подытоживает:

— Война загубила нас для всего.

Он прав. Мы уже не молодежь. Уже не хотим штурмовать мир. Мы беглецы. Бежим от себя. От своей жизни. Нам было восемнадцать, мы начинали любить мир и жизнь, а пришлось по ним стрелять. Первый разорвавшийся снаряд попал нам в сердце. Мы отлучены от созидания, от стремления, от движения вперед. Мы более в них не верим, мы верим в войну.

Канцелярия оживает. Кажется, Химмельштос поднял их там по тревоге. Во главе отряда вышагивает толстяк фельдфебель. Забавно, почти все кадровые фельдфебели толстяки.

За ним следует жаждущий мести Химмельштос. Его сапоги блестят на солнце.

Мы встаем.

— Где Тьяден? — пыхтит фельдфебель.

Никто, разумеется, знать не знает. Химмельштос злобно сверкает на нас глазами:

— Наверняка знаете. Только не хотите говорить. Давайте выкладывайте!

Фельдфебель озирается по сторонам, ищет Тьядена, но того не видать. Тогда он действует по-другому:

— Через десять минут Тьяден должен явиться в канцелярию. — Засим он отчаливает, с Химмельштосом в кильватере.

— Ох, чует мое сердце, что в следующий

раз на укреплениях я уроню катушку с колючей проволокой Химмельштосу на ноги, — говорит Кропп.

— Мы еще поимеем от него массу удовольствия, — смеется Мюллер.

Теперь для нас дело чести — резать письмоносцу правду-матку в глаза.

Я иду в барак, предупреждаю Тьядена, чтобы он исчез. Потом мы перебираемся на другое место, садимся играть в карты. Это мы умеем — играть в карты, браниться и воевать. Немного в двадцать-то лет, а в то же время слишком много.

Через полчаса опять заявляется Химмельштос. Никто не обращает на него внимания. Он спрашивает про Тьядена. Мы пожимаем плечами.

— Вы должны его разыскать, — настаивает он.

— Какие-такие «вы»? — осведомляется Кропп.

— Ну, вы все...

— Попрошу нам не тыкать, — говорит Кропп тоном полковника.

Химмельштос ошарашен:

— А кто вас тыкает?

— Вы!

— Я?

— Да.

В мозгах у Химмельштоса идет работа. Он недоверчиво косится на Кроппа, так как понятия не имеет, куда тот клонит. Однако, не вполне доверяя себе, чуток уступает:

— Вы его не нашли?

Кропп ложится на траву, говорит:

— Вы уже бывали здесь, на фронте?

— Вас это не касается! — отрезает Химмельштос. — Я требую ответа!

— Ладно. — Кропп встает. — Посмотрите-ка вон туда, где облачка. Это рвутся зенитные снаряды. Вчера мы были там. Пятеро убитых, восемь раненых. Причем, собственно говоря, обстрел был пустяковый. Когда в следующий раз тоже отправитесь туда, рядовые, прежде чем умереть, сперва построятся перед вами, станут по стойке «смирно» и молодцевато спросят: «Разрешите идти? Разрешите окочуриться?» Мы тут прямо-таки ждали таких, как вы.

Он садится, а Химмельштос исчезает, как комета.

— Три дня ареста, — предполагает Кач.

— В следующий раз мой черед, — говорю я Альберту.

Но это всё. Зато вечером на поверке проводится дознание. В канцелярии сидит лейтенант Бертинк, вызывает нас одного за другим.

Я тоже выступаю свидетелем и объясняю, почему Тьяден взбунтовался. История про страдающих ночным недержанием производит впечатление. В присутствии Химмельштоса я повторяю свои показания.

— Это правда? — спрашивает Бертинк у Химмельштоса.

Унтер юлит, но в конце концов, когда Кропп рассказывает то же самое, вынужден сознаться.

— Почему же никто тогда не доложил начальству? — спрашивает Бертинк.

Мы молчим, он и сам должен знать, есть ли смысл жаловаться в армии на подобные мелочи. И вообще, бывают ли в армии жалобы? Он, видимо, понимает и пока что распекает Химмельштоса, снова энергично разъясняя, что фронт ему не казарменный плац. Затем настает черед Тьядена, который получает солидную головомойку и три дня обычного ареста. Кроппу лейтенант, подмигнув, назначает однодневную отсидку.

— Иначе нельзя, — сочувственно говорит он Альберту. Разумный мужик.

Обычный арест — штука приятная. Арестантская располагается в бывшем курятнике, и обоих можно навестить, мы-то знаем, как туда пробраться. Строгий арест — это подвал. Раньше нашего брата еще привязывали к колоде, но теперь привязывать запрещено. Иногда с нами уже обращаются как с людьми.

Через час после того, как Тьяден и Кропп водворились за решеткой, мы идем к ним. Тьяден приветствует нас петушиным криком.

Потом мы до ночи режемся в скат. Тьяден, конечно, выигрывает, стервец.

Перед вылазкой Кач спрашивает:

— Как насчет гусиного жаркого?

— Недурно, — отвечаю я.

Мы забираемся на повозку с боеприпасами. Поездка обходится в две сигареты. Кач хорошо запомнил то место. Птичник принадлежит штабу какого-то полка. За гусем полезу я, и Кач меня инструктирует. Птичник за стеной, заперт всего-навсего на деревянный колышек.

Кач подставляет ладони, я опираюсь на них ногой и карабкаюсь через стену. Кач стоит на стреме.

Несколько минут я не двигаюсь, пусть глаза привыкнут к темноте. Потом различаю птичник. Тихонько подкрадываюсь, нащупываю колышек, вытаскиваю его, открываю дверь.

Внутри виднеются два белых пятна. Гусей два, это паршиво: схватишь одного, второй поднимет крик. Значит, надо брать обоих; если действовать быстро, все у меня получится.

Одним прыжком бросаюсь к ним. Первого хватаю сразу, а секунду спустя и второго. Как ненормальный луплю их головами об стену, чтобы оглушить. Но, видно, моей силы недостаточно. Твари кряхтят, отбиваются лапами и крыльями. Я ожесточенно борюсь, но, черт побери, сколько же у гуся силищи! Они рвутся из рук, так что я едва стою на ногах. В темноте эти белые лоскутья ужасны, у моих рук отросли крылья, я прямо боюсь, что вот-вот взлечу, будто в лапах у меня привязные аэростаты.

Вот уже и шум поднялся; одна из птиц набрала воздуху и гогочет, ровно будильник. Я оглянуться не успеваю, как слышу за дверью топот, получаю толчок, лежу на земле — рядом яростное рычание. Собака.

Бросаю взгляд вбок, и она тотчас норовит цапнуть за горло. Я немедля замираю, а главное, прижимаю подбородок к воротнику.

Это дог. Проходит вечность, наконец он поднимает голову, садится подле меня. Но едва я пытаюсь шевельнуться, рычит. Я размышляю. Сделать я могу только одно: как-нибудь добраться до маленького револьвера. В любом случае мне надо слинять отсюда, прежде чем сбегутся люди. Медленно, сантиметр за сантиметром, я передвигаю руку.

Такое чувство, что все продолжается не один час. Крохотное движение и грозный рык; замереть — и новая попытка. Наконец револьвер в ладони, но рука дрожит. Я прижимаю ее к земле и командую себе: выхвати револьвер, пальни, прежде чем дог вцепится, и давай Бог ноги.

Я медленно перевожу дух, успокаиваюсь. Потом задерживаю дыхание, выбрасываю вверх руку с револьвером, щелкает выстрел, дог с визгом кидается в сторону, дверь свободна, я кувырком перелетаю через одного из сбежавших гусей.

На бегу быстро хватаю его, одним махом швыряю через стену и сам карабкаюсь наверх. Я еще не перелез, а дог уже опомнился, прыгает, норовит достать меня. Я поспешно переваливаюсь на другую сторону. В десяти шагах от меня стоит Кач с гусем в руках. Как только он видит меня, мы оба бросаемся наутек.

Наконец можно отдышаться. Гусь мертв, Кач мигом с ним покончил. Мы решаем зажарить его не откладывая, чтобы никто ничего не заметил. Я притаскиваю из барака кастрюли и дрова, и мы заползаем в заброшенную сараюшку, которую давно присмотрели для таких целей. Единственное оконце наглухо завешиваем. Там есть нечто вроде очага — лист железа на кирпичах. Мы разводим огонь.

Кач ощипывает и разделывает гуся. Перья мы аккуратно собираем. Сделаем из них две подушечки с надписью «Спокойных снов в ураганном огне!».

Канонада фронта гудит вокруг нашего прибежища. Отсветы огня скользят по лицам, на стенах пляшут тени. Порой доносится глухой грохот, сараюшка дрожит. С самолетов бросают бомбы. Один раз мы слышим приглушенные крики. Должно быть, попадание в один из бараков.

Урчат самолеты; треск пулеметов становится громче. Но от нас свет наружу не проникает, никто его не увидит.

Так мы сидим друг против друга, Кач и я, двое солдат в потертых куртках, жарим гуся среди ночи. Говорим немного, но обоих наполняет мягкая заботливость, по-моему, даже влюбленные не относятся друг к другу заботливее. Мы — двое людей, две искорки жизни, снаружи ночь и круг смерти. Мы сидим на его краю, в опасности и в защищенности, по нашим рукам течет жир, мы близки друг другу сердцем, и этот час, как пространство: в мягких бликах костерка огоньки и тени чувств порхают туда-сюда. Что он знает обо мне... что я знаю о нем, раньше у нас не было сходных мыслей — теперь мы сидим перед гусем, чувствуем, что живем, и так близки, что говорить об этом нет нужды.

Гусь жарится долго, даже если он молодой и жирный. Поэтому мы сменяем друг друга. Пока один поливает жаркое, второй спит. В воздухе мало-помалу распространяется восхитительный запах.

Внешние шумы превращаются в киноленту, в сновидение, которое, однако, не вполне утрачивает память. В полусне я вижу, как Кач поднимает и опускает ложку, я люблю его, люблю его плечи, его угловатую, склоненную фигуру — и одновременно вижу за его спиной леса и звезды, а какой-то добрый голос произносит слова, дарящие мне покой, мне, солдату, что в больших сапогах, с ремнем и мешочком сухарей шагает такой маленький под высоким небом по дороге, уходящей вдаль, он быстро забывает и уже редко печалится, только шагает все дальше и дальше под огромным ночным небом.

Маленький солдат и добрый голос; если его приласкать, он, пожалуй, и не поймет, этот солдат в больших сапогах и с засыпанным сердцем, он шагает, потому что на нем сапоги, и забыл обо всем, кроме шагания. Разве там, у горизонта, не цветы и не ландшафт, такой тихий, что ему, солдату, хочется плакать? Разве не стоят там картины, которых он не терял, потому что никогда их не имел, поразительно, но для него все-таки в прошлом? Не там ли его двадцать лет?

У меня мокрое лицо? Где я? Передо мной Кач, его огромная склоненная тень накрывает меня, словно уют родного дома. Он что-то тихонько говорит, улыбается, отходит обратно к костру.

Потом объявляет:

— Готово.

— Да, Кач.

Я встряхиваюсь. Посредине сарая сияет румяное жаркое. Мы достаем складные вилки и ножи, отрезаем по ножке. Закусываем черным хлебом, окуная его в соус. Едим медленно, с огромным наслаждением.

— Вкусно, Кач?

— Еще как! А тебе?

— Конечно, Кач.

Мы братья, подвигаем один другому лучшие куски. Потом я закуриваю сигарету, а Кач — сигару. Осталось еще много.

— Как насчет отнести гусятинки Кроппу и Тьядену, а, Кач?

— Само собой, — говорит он.

Мы отрезаем изрядную порцию, тщательно заворачиваем в газету. Остальное мы вообще-то хотим отнести в барак, но Кач смеется и коротко роняет:

— Тьяден!

Мне понятно, надо захватить все. И мы отправляемся в курятник будить арестантов. Но прежде пакуем перья.

Кропп и Тьяден принимают нас за фата-моргану. Потом берутся за дело, аж за ушами трещит. Тьяден держит крыло обеими руками, как губную гармошку, и знай жует. Выпивает жир из кастрюльки и прищелкивает языком:

— Никогда вам этого не забуду!

Мы идем в барак. Над головой опять высокое звездное небо, брезжит рассвет, я иду под этим небом, солдат в больших сапогах и с полным желудком, маленький солдат ранним утром, но рядом со мной, сутулый и угловатый, шагает Кач, мой товарищ.

Очертания барака проступают из сумерек, приближаются как черный, добрый сон.

VI

Поговаривают о наступлении. На передовую нас отправляют на два дня раньше срока. По дороге мы видим разбитую снарядами школу. Вдоль длинной ее стены громоздится высокий двойной штабель новых, светлых, неструганых гробов. От них пахнет живицей, соснами и лесом. Штук сто, не меньше.

— Заранее припасли к наступлению, — удивленно бросает Мюллер.

— Они для нас, — ворчит Детеринг.

— Не болтай чепухи! — прицыкивает Кач.

— Радуйся, если получишь гроб, — ухмыляется Тьяден, — при твоих габаритах, глядишь, определят тебя в брезент!

Остальные тоже отпускают шуточки, неприятные шуточки, а как иначе? Гробы ведь в самом деле для нас. В таких вещах организация работает четко.

Фронтовая полоса охвачена брожением. В первую ночь мы пытаемся сориентироваться. Поскольку довольно тихо, нам слышно, как за вражеским фронтом грохочут транспорты, беспрестанно, до самого рассвета. Кач говорит, что они не отходят, а подвозят войска — войска, боеприпасы, орудия.

Английская артиллерия усилилась, это мы слышим сразу. Справа от фермы стоят по меньшей мере четыре батареи, нацеленные на двадцать и пять правее, а за тополевым обрубком установлены минометы. Кроме того, прибавилось малокалиберных французских пушек, стреляющих осколочно-фугасными снарядами.

Настроение у нас подавленное. Через два часа после того, как мы водворились в блиндажах, собственная артиллерия загоняет нас в окопы. Третий раз за четыре недели. Будь это ошибки в прицеливании, никто бы слова не сказал, но все дело в том, что изношенные орудия дают разброс снарядов вплоть до нашего участка и такие неприцельные выстрелы отнюдь не редкость. Вот почему сегодня ночью у нас двое раненых.

Фронт — это клетка, где приходится нервно ждать, что будет. Над нашими позициями решеткой перекрещиваются траектории снарядов, и мы живем в напряжении неизвестности. Над нами витает случай. Когда подлетает снаряд, я могу только пригнуться, и всё; куда он саданет, я в точности знать не могу, как не могу и повлиять на это.

Именно власть случая и делает нас безразличными. Несколько месяцев назад я сидел в блиндаже, играл в скат, а через некоторое время пошел навестить знакомых в другом блиндаже. Когда я вернулся, от первого блиндажа не осталось и следа, его разнесло прямым попаданием тяжелого снаряда. Я пошел к второму блиндажу и подоспел как раз вовремя, чтобы помочь откапывать. Засыпало его.

Случайно я остаюсь в живых и так же случайно могу погибнуть. В надежном блиндаже меня может раздавить в лепешку, а в чистом поле я могу уцелеть под десятичасовым ураганным огнем. Любой солдат остается в живых лишь благодаря тысячам случайностей. И любой солдат верит случаю и доверяет ему.

Нам приходится следить за сохранностью хлеба. В последнее время, поскольку позиции уже толком не чистят, сильно расплодились крысы. Детеринг твердит, что это самый что ни на есть верный признак опасности.

Здешние крысы большущие и оттого особенно отвратительные. Такую породу называют трупными крысами. У них мерзкие, злобные, голые морды, а от одного вида длинных лысых хвостов накатывает тошнота.

Они, кажется, здорово голодные. Почти у всех обгрызли хлеб. Кропп тщательно заворачивает свой в брезент и кладет себе под голову, но не может спать, потому что крысы бегают по лицу, стараясь добраться до хлеба. Детеринг решил схитрить: прикрепил к потолку блиндажа тонкую проволоку и подвесил к ней узелок с хлебом. Ночью, включив фонарик, он увидел, что проволока раскачивается, а верхом на хлебе сидит жирная крыса.

В конце концов мы устраиваем расправу. Обгрызенные куски хлеба тщательно обрезаем; выбрасывать-то ни в коем случае нельзя, иначе завтра будет нечего есть.

Обрезки складываем на полу посреди блиндажа. Каждый вооружается лопаткой и ждет. Детеринг, Кропп и Кач держат наготове фонарики.

Через несколько минут слышится первое шарканье и волочение. Оно усиливается, теперь уже топает множество маленьких ног. Тут вспыхивают фонарики, и лопатки обрушиваются на черную кучу, которая бросается врассыпную. Результат неплох. Мы выбрасываем крысиные останки через край окопа и опять караулим.

Еще несколько раз эта операция проходит успешно. Потом крысы то ли что-то заметили, то ли почуяли неладное. Перестали приходить. Однако на следующий день все же утащили с полу остатки хлеба.

На соседнем участке они напали на двух больших кошек и собаку, загрызли их и объели.

На другой день нам выдают эдамский сыр. Каждому почти по четверти головки. Отчасти это хорошо, потому что сыр вкусный, а отчасти паршиво — до сих пор большие красные шары всегда предвещали крупную заваруху. Предчувствие усиливается, когда вдобавок выдают шнапс. Мы его, конечно, выпиваем, но на душе нехорошо.

Днем мы соревнуемся в стрельбе по крысам и бездельничаем. Запасы винтовочных патронов и ручных гранат пополняются. Штыки мы проверяем сами. Дело в том, что у некоторых на тупой стороне зубцы, как у пилы. Если кто-нибудь с таким штыком попадает в руки противника, его беспощадно приканчивают. На соседнем участке находили наших, которым этими зубчатыми штыками отпилили носы и выкололи глаза. Потом набили рот и нос опилками, и они задохнулись.

Кой у кого из новобранцев по-прежнему такие штыки; мы их забираем, организуем им другие.

Вообще штык потерял важность. При штурмовой атаке теперь иной раз предпочитают действовать только ручными гранатами и лопатками. Заточенная лопатка — более легкое и многоцелевое оружие, ею можно не только ткнуть под подбородок, но в первую очередь бить, причем с большей силой; особенно если попадешь наискось между плечом и шеей, с легкостью прорубишь до груди. Штык, когда им колешь, часто застревает, и, чтобы его освободить, приходится сперва с силой пнуть противника ногой в живот, а за это время и сам можешь в два счета попасть под удар. Вдобавок штыки еще и ломаются.

Ночью пускают газ. Мы ждем и атаки, лежим в масках, приготовясь сдернуть их, как только появится первая тень.

Светает, но ничего не происходит. Лишь изматывающий нервы грохот на той стороне, эшелоны за эшелонами, грузовики за грузовиками, что там сосредоточивают? Наша артиллерия безостановочно ведет обстрел, но грохот не умолкает, не умолкает...

Лица у нас у всех усталые, мы глядим мимо друг друга.

— Как на Сомме, потом семь суток ураганного огня, — мрачно говорит Кач. С тех пор как мы здесь, он уже не шутит, и это скверно, ведь Кач старый фронтовик, с безошибочным чутьем. Один только Тьядсн радуется большим порциям и рому; он даже считает, что мы и вернемся так же спокойно, ничего не случится.

Вроде бы к тому и идет. Минует день за днем. Ночью я сижу в секрете. Надо мной поднимаются и опускаются ракеты, сигнальные и осветительные. Я осторожен и напряжен, сердце стучит вовсю. Снова и снова взгляд падает на часы со светящимся циферблатом, стрелки застыли. Сон висит на веках, я шевелю пальцами в сапогах, чтобы не заснуть. До самой смены ничего не происходит, только непрестанный гул на той стороне. Постепенно мы успокаиваемся, все время режемся в скат и другие азартные игры. Может, повезет.

Днем небо сплошь в привязных аэростатах. Говорят, теперь противник и здесь задействует в наступлении танки и войсковую авиацию. Однако нас куда больше интересуют рассказы про новые огнеметы.

Среди ночи мы просыпаемся. Земля грохочет. Нас накрыло мощным обстрелом. Мы жмемся по углам. Снаряды всех калибров, по звуку слышно.

Каждый хватает свои вещи и ежеминутно проверяет, целы ли они. Блиндаж дрожит, ночь — сплошной рев и вспышки. В этих секундных взблесках света мы переглядываемся, с побледневшими лицами и стиснутыми губами, качаем головой.

Каждый чует, как тяжелые снаряды срывают бруствер окопа, как пробивают эскарп и разносят на куски верхние бетонные чушки. А вот более глухой и яростный удар, похожий на удар лапы взбешенного хищника, — снаряд попадает в окоп. Утром кое-кого из землисто-бледных новобранцев выворачивает наизнанку. Они еще слишком неопытны.

Омерзительно серый свет медленно просачивается в блиндаж, вспышки разрывов тускнеют. Утро. Теперь к артобстрелу примешивается огонь минометов. Это ад, страшнее не бывает. После мин остается братская могила.

Сменщики уходят, наблюдатели вваливаются в блиндаж, дрожащие, с головы до ног в грязи. Один молча ложится в углу, ест, второй, пожилой необученный резервист, рыдает — его дважды выбрасывало ударной волной за бруствер, но отделался он только нервным шоком.

Новобранцы не сводят с него глаз. Такие вещи крайне заразительны, надо смотреть в оба, а то ведь у иных уже дрожат губы. Хорошо, что настает утро; возможно, атака будет еще до полудня.

Обстрел не ослабевает. Он и за спиной тоже. Куда ни глянь, в воздух фонтанами летят грязь и железо. Полоса огня очень широка.

Атаки нет, но пальба продолжается. Мы мало-помалу глохнем. Никто почти не говорит. Да и не разберешь.

От нашего окопа мало что осталось. Во многих местах он теперь высотой не более полуметра, весь в выбоинах, воронках и кучах земли. Прямо перед блиндажом рвется снаряд. И сразу делается темно. Нас засыпало, надо откапываться. Через час вход опять свободен, да и мы немного остыли, так как были заняты делом.

Пробравшийся к нам ротный сообщает, что два блиндажа уничтожены. При виде лейтенанта новобранцы успокаиваются. Сегодня вечером, говорит он, попробуют доставить горячую еду.

Звучит утешительно. Кроме Тьядена, об этом никто и не помышлял. Частица внешнего мира опять становится ближе; раз привезут еду, значит, едва ли все так уж скверно, думают новобранцы. И пусть себе думают, но мы-то знаем, что еда важна не меньше, чем боеприпасы, и лишь поэтому доставить ее необходимо.

Однако попытка терпит неудачу. Высылаем второй отряд. Он тоже поворачивает обратно. В конце концов с ними идет Кач, но даже он возвращается ни с чем. Пройти невозможно, при таком огне и мышь не проскочит.

Мы затягиваем ремни, втрое дольше пережевываем каждый кусок. Но толку все равно чуть, нас мучает зверский голод. Я припрятал ломоть хлеба, мякиш съедаю, а корку держу в мешочке и временами понемногу отгрызаю.

Ночь невыносима. Спать невозможно, мы тупо пялимся в пространство, на грани яви и забытья. Тьяден сокрушается, что мы растратили на крыс обглоданный ими хлеб. Могли бы спокойно приберечь. Сейчас бы любой съел. Воды нам тоже недостает, но пока что терпимо.

Под утро, когда еще темно, возникает суматоха. Через вход вбегает целая стая крыс, мчится вверх по стенам. Фонарики освещают смятение. Все кричат, бранятся, сыплют ударами. Ярость и отчаяние долгих часов выплескиваются на свободу. Лица искажены, руки бьют, крысы верещат, остановиться трудно, мы едва не набрасываемся друг на друга.

Вспышка истощила все наши силы. Лежим, опять ждем. Чудо, что в нашем блиндаже еще нет потерь. Это одно из немногих глубоких укрытий, которые до сих пор уцелели.

Вползает унтер-офицер, приносит хлеб. Троим все-таки удалось ночью пройти в тыловую полосу и доставить немного провианта. Они рассказали, что обстрел с неослабевающей мощью накрывает все вплоть до артиллерийских позиций. Загадка, откуда у них там взялось столько орудий.

Мы вынуждены ждать, ждать и ждать. В полдень случается то, чего я опасался. У одного из новобранцев припадок. Я давно заметил, как он беспокойно двигает челюстями и то сжимает, то разжимает кулаки. Нам хорошо знакомы эти загнанные, вытаращенные глаза. В последние часы парень лишь мнимо утих. Рассыпался, как гнилое дерево.

Теперь он встает, крадется по блиндажу, на мгновение замирает — и бросается к выходу. Я поворачиваюсь, преграждая ему путь, спрашиваю:

— Ты куда?

— Сейчас вернусь, — говорит он и пробует обогнуть меня.

— Погоди, огонь уже слабеет.

Он прислушивается, на секунду взгляд проясняется. Но тотчас в нем опять возникает мутный блеск, как у бешеного пса, парень молчит, отталкивает меня.

— Минуточку, товарищ! — кричу я.

Кач немедля настораживается. И как раз когда новобранец отталкивает меня, тоже хватает парня, и мы вдвоем крепко держим его.

А он сразу начинает бушевать:

— Пустите меня! Выпустите отсюда! Я хочу выйти!

Он ничего не слушает, отбивается, мокрые губы выплевывают слова, полузахлебнувшиеся, бессмысленные. Это приступ блиндажного страха, парню кажется, что здесь он задохнется, и инстинкт гонит его наружу. Если его отпустить, он кинется бежать куда глаза глядят, забыв об укрытии. И это не первый случай.

Поскольку он вконец обезумел и уже закатывает глаза, у нас нет другого способа образумить его, кроме взбучки. Что мы и делаем, быстро и беспощадно, в результате он пока опять сидит тихо. Остальные, глядя на эту сцену, побледнели; надеюсь, она их отпугнет. Такой ураганный огонь бедолагам не по силам; прямо из учебного лагеря они угодили в заваруху, от которой и бывалый солдат может поседеть.

После этого происшествия спертый воздух еще больше действует нам на нервы. Мы сидим тут как в могиле, дожидаясь, когда нас засыплет. Внезапно жуткий вой и вспышка огня, блиндаж трещит по всем швам от прямого попадания, к счастью легкого, бетонные чушки устояли. Немыслимый металлический лязг, стены качаются, винтовки, каски, комья земли, грязь, пыль летят во все стороны. Сернистый дым проникает внутрь. Если бы мы сидели не в прочном блиндаже, а в одном из легких укрытий, какие сооружают с недавних пор, нас бы теперь не было в живых, никого.

Впрочем, эффект и без того прескверный. Давешний новобранец опять бушует, к нему присоединяются еще двое. Один вырывается, выскакивает наружу. Мы едва удерживаем остальных двоих. Я бросаюсь вдогонку за беглецом, прикидывая, не пальнуть ли ему по ногам; тут слышится нарастающий свист, я падаю наземь, а когда встаю, стена окопа облеплена горячими осколками, клочьями плоти и мундира. Ползу обратно.

Первый, кажется, сбрендил по-настоящему. Стоит его отпустить, он, как баран, бьется головой об стену. Ночью придется сделать попытку переправить его в тыловую полосу. А пока мы его связываем, но так, чтобы в случае атаки быстро развязать.

Кач предлагает сыграть в скат; что еще делать-то — может, станет полегче. Но ничего не выходит, мы прислушиваемся к каждому ближнему разрыву, ошибаемся, считая взятки, не видим масть. И в конце концов бросаем игру. Сидим как в огромном гулком котле, по которому дубасят со всех сторон.

Еще одна ночь. Мы уже отупели от напряжения. От смертельного напряжения, которое зазубренным ножом скребет позвоночник. Ноги отказываются служить, руки дрожат, тело — тонкая оболочка поверх едва-едва сдерживаемого безумия, поверх безудержного, бесконечного рыка, готового вот-вот вырваться наружу. У нас уже нет ни плоти, ни мышц, мы не можем смотреть друг на друга, опасаясь чего-то безрассудного. Сжимаем губы — ничего, пройдет... пройдет... глядишь, выдержим и на сей раз.

Внезапно разрывов вблизи уже не слышно. Огонь не утихает, но сместился назад, наш окоп свободен. Мы хватаем гранаты, бросаем их перед блиндажом, выбегаем наружу. Ураганный обстрел прекращен. Зато позади нас мощный заградительный огонь. Вот она, атака.

Никто бы не поверил, что в этой изрытой пустыне еще могут быть люди, однако теперь из окопов повсюду высовываются каски, а метрах в пятидесяти от нас уже ставят пулемет, который немедля начинает тявкать.

Проволочные заграждения изодраны в клочья. Но еще сгодятся, задержат. Мы видим атакующих. Наша артиллерия гвоздит. Пулеметы трещат, палят винтовки. Противник подбирается ближе. Хайе и Кропп берутся за гранаты. Бросают как можно быстрее, обоим передают их с уже выдернутой чекой. Хайе бросает на шестьдесят метров, Кропп — на пятьдесят, это уже выверено и важно. Атакующие на бегу не могут ничего предпринять, пока не подойдут метров на тридцать.

Мы различаем искаженные лица, плоские каски, — это французы. Они уже у остатков проволочного заграждения и несут заметные потери. Пулемет рядом с нами кладет целую цепь; потом у нас возникают задержки с заряжанием, и они подходят ближе.

Я вижу, как один из них падает в рогатку, вверх лицом. Тело обмякает, руки воздеты, словно он собирается молиться. Потом тело проваливается, на проволоке висят только отстреленные руки с обрубками предплечий.

В тот миг, когда мы отходим, впереди над

землей приподнимаются три лица. Под одной каской острая темная бородка и глаза, сверлящие меня. Я вскидываю руку, но не могу швырнуть гранату в эти странные глаза, в течение безумной секунды все сражение, словно цирк, с неимоверной скоростью кружит вокруг меня и этих глаз, которые одни только неподвижны, потом там поднимается голова, рука; взмах — и моя граната летит туда, в эту цель.

Мы бежим назад, сбрасываем рогатки в окоп и швыряем за спину гранаты, обеспечивающие огневой отход. Со следующей позиции садят пулеметы.

Из нас получились опасные звери. Мы не сражаемся, мы защищаем себя от уничтожения. Бросаем гранаты не в людей, в этот миг у нас и мыслей таких нет, там каски и руки преследующей нас смерти, впервые за три дня мы можем взглянуть ей в лицо, впервые за три дня можем защищаться от нее, нас обуревает неистовая ярость, мы уже не в бессильном ожидании на эшафоте, мы можем истреблять и убивать, чтобы спасти себя и отомстить.

Мы сидим за каждым углом, за каждым проволочным заграждением и, прежде чем метнуться прочь, швыряем под ноги атакующих пучки взрывов. Грохот гранат впрыскивает силу в наши руки и ноги; пригнувшись, словно кошки, мы бежим, захлестнутые волной, которая несет нас, наполняет жестокостью, делает разбойниками с большой дороги, убийцами, даже, если угодно, демонами; в страхе, ярости, жажде жизни она умножает наши силы, отыскивает и отвоевывает нам спасение. Окажись среди атакующих твой отец, ты без колебаний швырнул бы гранату ему навстречу!

Передняя линия окопов оставлена. Да окопы ли это? Они разворочены, уничтожены — остались лишь отдельные части укреплений, норы, соединенные ходами сообщения, огневые точки в воронках, не больше. Но потери противной стороны растут. Они не рассчитывали на такое сопротивление.

Настает полдень. Солнце припекает, пот щиплет глаза, мы утираем его рукавом, иногда пот смешан с кровью. Впереди первый чуть лучше сохранившийся окоп. Там люди, он подготовлен к контратаке, принимает нас. Мощно вступает наша артиллерия, отсекая атаку огнем.

Цепи за нами приостанавливаются. Не могут продвинуться дальше. Атака разгромлена нашей артиллерией. Огонь перемещается на сотню метров дальше, и мы снова прорываемся вперед. Рядом со мной отрывает голову какому-то ефрейтору. Он пробегает еще несколько шагов, меж тем как кровь фонтаном бьет из шеи.

До рукопашной толком не доходит, противник вынужден отступить. Мы вновь у своих разбитых окопов, но не задерживаемся, оставляем их позади.

О, этот поворот! Ты добрался до защищающих резервных позиций, хочешь заползти туда, исчезнуть — и должен повернуть, снова устремиться в кошмар. Не будь мы в тот миг автоматами, мы остались бы лежать, без сил, без воли. Но нас опять утягивает вперед, безвольных и вместе с тем до безумия неистовых и яростных, мы жаждем убивать, ведь теперь там, впереди, наши смертельные враги, их винтовки и гранаты нацелены на нас, если мы их не уничтожим, они уничтожат нас!

Бурая земля, рваная, изрытая бурая земля, маслянисто поблескивающая в солнечных лучах, образует фон неутомимо-тупого автоматизма, наше хриплое дыхание — это скрип пружины, губы пересохли, в голове пустота страшнее, чем после ночной попойки, — вот так мы, едва держась на ногах, шагаем вперед, а в наши изрешеченные, продырявленные души мучительно навязчиво вбуравливается образ бурой земли с маслянистым солнцем и дергающимися и мертвыми солдатами, которые там лежат, будто так и надо, хватают нас за ноги и кричат, когда мы перепрыгиваем через них.

Мы уже ничего друг к другу не чувствуем, едва узнаём друг друга, когда облик другого мелькает перед затравленными глазами. Мы бесчувственные мертвецы, которые благодаря какому-то трюку, какому-то опасному волшебству еще могут идти и убивать.

Молодой француз отстает, его настигают, он поднимает руки вверх, в одной у него револьвер — неизвестно, намерен ли он стрелять или сдаваться, удар лопатки раскраивает ему лицо. Второй, видя это, пытается бежать дальше, в спину ему вонзается штык. Он подпрыгивает, раскидывает руки, из широко открытого рта рвется крик, ноги шагают, а в спине качается штык. Третий бросает винтовку, скорчивается на земле, закрыв лицо руками. Остается позади вместе с несколькими другими пленными, будет выносить раненых.

В погоне мы неожиданно выскакиваем к вражеским позициям. Преследуя отступающих буквально по пятам, мы оказываемся там почти одновременно с ними. Поэтому потери у нас незначительны. Тявкает пулемет, но его уничтожают ручной гранатой. Однако этих считаных секунд хватило, чтобы наши получили пять ранений в живот. Кач прикладом расквашивает лицо невредимому пулеметчику. Остальных мы закалываем прежде, чем они успевают взяться за гранаты. А потом жадно выпиваем воду, охлаждавшую пулемет.

Повсюду щелкают кусачки, громыхают доски, брошенные поверх заграждений, через узкие ходы мы врываемся в окопы. Хайе вбивает лопатку в шею огромному французу и кидает первую гранату; на несколько секунд мы пригибаемся за бруствером — прямой участок окопа перед нами пуст. Наискось над углом шипит следующий бросок, расчищает дорогу, мимоходом связки гранат летят в блиндажи, земля содрогается, грохочет, дымится, стонет, мы спотыкаемся о скользкие ошметки плоти, об обмякшие тела, я падаю в распоротый живот, на котором лежит новое, чистенькое офицерское кепи.

Бой буксует. Связь с врагом обрывается. Поскольку задерживаться здесь нельзя, мы под прикрытием артиллерии должны вернуться на свои позиции. В спешке, без долгих размышлений устремляемся в ближайшие блиндажи, забираем консервы, какие попадаются на глаза, в первую очередь банки с тушенкой и маслом, а уж потом смываемся к себе.

Возвращаемся благополучно. Новой атаки с той стороны пока что нет. Больше часа мы молча лежим, отпыхиваемся, отдыхаем. Настолько вымотанные, что, несмотря на сильнейший голод, даже не вспоминаем о консервах. Лишь мало-помалу опять становимся вроде как людьми.

Тамошняя тушенка славится на весь фронт. Порой даже бывает главной причиной внезапной вылазки с нашей стороны, ведь у нас питание в целом скверное, мы постоянно голодаем.

Всего мы добыли пять банок. Да, на той стороне народ продовольствием обеспечивают хорошо, прямо-таки роскошно, не то что нас, вечно голодных, с нашим свекольным мармеладом; мясо у них там просто стоит повсюду, бери — не хочу. Хайе прихватил еще тонкий французский батон, сунул за ремень, как лопатку. Сбоку батон чуток в крови, но это можно срезать.

Счастье, что сейчас можно как следует закусить; силы нам еще пригодятся. Есть досыта так же важно, как иметь хороший блиндаж; потому-то мы и жадны до еды, ведь она может спасти нам жизнь.

Тьяден добыл вдобавок две фляжки коньяку. Мы пускаем их по кругу.

Начинается вечерний обстрел. Приходит ночь, из воронок поднимается туман. С виду кажется, будто эти ямы полны зловещих тайн. Белая мгла боязливо клубится, прежде чем, осмелев, выползает через край. Тогда длинные космы протягиваются от воронки к воронке.

Прохладно. Я на посту, смотрю во мрак. Настроение смутное, как всегда после атаки, поэтому мне трудно наедине с собственными мыслями. Собственно, это не мысли, а воспоминания мучают меня сейчас, в минуты слабости, и наводят странное уныние.

Вверх взлетают французские осветительные ракеты — и передо мной встает картина летнего вечера: из крытой галереи собора я смотрю на высокие розовые кусты, цветущие посредине дворика, где хоронят настоятелей. Вокруг каменные изваяния остановок крестного пути. Ни души, огромная тишина объемлет этот цветущий четырехугольник, солнце дышит теплом на толстые серые камни, я кладу на них ладонь, чувствую тепло. Над правым углом шиферной кровли зеленая башня собора пронзает мягкую тусклую синь вечера. Меж озаренными солнцем, небольшими колоннами крестового хода царит прохладный сумрак, присущий только церквам, я стою там и размышляю о том, что в двадцать лет узнáю поразительные вещи, связанные с женщинами.

Эта картина на удивление близко, она ощутимо трогает меня, прежде чем растаять при вспышке очередной осветительной ракеты.

Я берусь за винтовку, поправляю ее. Ствол влажный, я обхватываю его ладонью, стираю пальцами сырость.

Меж лугов за нашим городом росли вдоль ручья старые тополя. Их было видно издалека, и хотя росли они только по одну сторону, их называли тополевой аллеей. С самого детства нам полюбились эти деревья, от них исходило какое-то необъяснимое притяжение, мы проводили подле них целые дни, слушая тихий шелест листвы. Сидели под ними на берегу ручья, свесив ноги в быстрые светлые волны. Чистый запах воды и песня ветра в тополях властвовали нашей фантазией. Мы очень их любили, и даже теперь картина тех дней, прежде чем исчезнуть, заставляет мое сердце биться чаще.

Странно, что всем воспоминаниям, оживающим в памяти, присущи две особенности. В них неизменно царит тишина, именно она сильнее всего, и даже если в реальности было иначе, сейчас впечатление таково. Беззвучные видения, говорящие со мной взглядами и жестами, молча, без слов, — их молчание потрясает до глубины души, я невольно хватаюсь за рукав и винтовку, чтобы не сгинуть в этой манящей неге, в которой жаждет растаять мое тело, плавно сливаясь с безмолвными могучими токами за гранью вещей.

Воспоминания полны тишины оттого, что для нас это совершенно непостижимо. На фронте нет тишины, и владычество фронта распространяется так далеко, что никогда нас не отпускает. В тылу — в лагерях и на отдыхе — у нас в ушах все равно беспрестанно гудит и глухо рокочет канонада. Мы никогда не бываем достаточно далеко, чтобы ее не слышать. Но в эти дни она была совершенно невыносима.

Именно из-за тишины картины минувшего пробуждают не столько желания, сколько печаль — огромную, растерянную меланхолию. Все это было... но не вернется. Ушло, осталось в другом мире, для нас канувшем в прошлое. На казарменных плацах эти картины вызывали мятежную, необузданную тоску, были тогда еще связаны с нами, мы принадлежали друг другу, хотя нас и разлучили. Они являлись с солдатскими песнями, которые мы пели, шагая меж зарей и черными контурами леса на учебный полигон, были ярким воспоминанием, жившим в нас и приходившим изнутри.

Здесь же, в окопах, мы это воспоминание утратили. Изнутри оно более не является... мы умерли, и оно стоит далеко на горизонте — видением, загадочным отблеском, терзающим нас, пугающим и безнадежно любимым. Оно сильное, и тоска у нас тоже сильная... но до него не добраться, мы знаем. Оно столь же несбыточно, как и надежда стать генералом.

И даже если нам вернут его, ландшафт нашей юности, мы все равно ничего толком сделать не сумеем. Неуловимые, загадочные силы, шедшие от него к нам, возродиться не могут. Очутившись в этом ландшафте, мы будем бродить там, вспоминать, любить его, приходить в волнение при взгляде на него. Но это будет сродни задумчивости перед фотографией погибшего товарища — его черты, его лицо, — и дни, проведенные сообща, наполняются в воспоминании обманчивой жизнью, только вот это не он сам.

Той связи, что соединяла нас с ландшафтом, уже не будет. Ведь притягивало нас не сознание его красоты и настроя, а общее для всех нас чувство братства с вещами и событиями нашей жизни, которое обособляло нас и постоянно делало мир родителей слегка непонятным; ведь каким-то образом мы всегда были мягко им заворожены, преданы его власти, и самая малость неизменно уводила нас на путь бесконечности. Может статься, то была лишь привилегия юности, мы еще не видели пределов, не признавали, что все и вся имеет конец; в крови жило ожидание, сплавлявшее нас воедино с бегом наших дней.

Сегодня мы будем бродить в ландшафте своей юности как чужие. Реальность сожгла нас, мы знаем отличия как торговцы и необходимости — как мясники. В нас больше нет беспечности, мы до ужаса равнодушны. Пусть даже мы очутимся там, но будем ли жить?

Мы одиноки, словно дети, и умудрены опытом, словно старики, мы черствы, печальны и ребячливы, — я думаю, мы потеряны.

Руки у меня мерзнут, по коже бегут мурашки, а ведь ночь теплая. Только туман прохладный, этот зловещий туман, что окутывает мертвецов перед нами и высасывает из них последнюю, забившуюся в уголок жизнь. Утром они будут зеленовато-бледными, а их кровь свернется и почернеет.

Все еще поднимаются осветительные ракеты, заливая безжалостным светом оцепеневший ландшафт, изрытый кратерами, полный слепящего холода, как луна. Кровь под моей кожей несет в мысли страх и тревогу. Они слабеют и дрожат, им нужны тепло и жизнь. Не выдержат они без утешения и обмана, приходят в смятение перед голой картиной отчаяния.

Я слышу звяканье котелков, и мне сразу ужасно хочется горячей еды, она пойдет на пользу, успокоит меня. С трудом заставляю себя дождаться смены караула.

Потом иду в блиндаж, где нахожу миску перловки. Она сварена с салом, вкусная, и ем я медленно. Но сижу тихо, хотя остальные повеселели, оттого что канонада улеглась.

Дни идут, и каждый час непостижим и самоочевиден. Атаки чередуются с контратаками, и на изрытом воронками пространстве между позициями мало-помалу скапливаются трупы. Раненых, лежащих не очень далеко, нам большей частью удается вынести. Но некоторые поневоле остаются там подолгу, и мы слышим, как они умирают.

Одного мы тщетно разыскиваем два дня. Он, наверно, лежит на животе и не может перевернуться. Иначе неудачу поисков не объяснить; ведь только когда человек кричит, почти уткнувшись ртом в землю, установить направление очень-очень трудно.

Рана у него, думается, скверная, притом коварная, не слишком тяжелая, она не может быстро ослабить тело до такой степени, чтобы человек отошел в полузабытьи, но и не настолько легкая, чтобы терпеть боль, рассчитывая оклематься. Кач полагает, что у парня либо раздроблен таз, либо прострелен позвоночник. Грудь не задета, иначе ему бы недостало сил так кричать. Вдобавок при другом повреждении он бы двигался, и мы бы его увидели.

Постепенно он хрипнет. Голос звучит так несуразно, что мог бы идти откуда угодно. Первой ночью наши ходят искать трижды. Но всякий раз, когда они думают, что определили направление, и уже ползут туда, раздается новый крик, совсем в другой стороне.

Поиски продолжаются до самого рассвета, безуспешно. Днем мы внимательно изучаем местность в бинокль — ничего. На второй день он кричит тише, губы и рот явно пересохли.

Ротный посулил тому, кто его найдет, внеочередной отпуск плюс еще три дня. Стимул мощный, но мы бы и без того сделали все возможное, потому что его крики — сущий кошмар. Кач с Кроппом выходят снова, даже не дождавшись вечера. При этом Альберту отстрелили мочку уха. Все зря, возвращаются они без него.

И ведь можно отчетливо разобрать, что́ он кричит. Сперва все время звал на помощь, второй ночью его, должно быть, лихорадит, он разговаривает с женой и детьми, мы часто слышим имя Элиза. Сегодня он только плачет. Вечером голос тускнеет, превращается в хрип. Но всю ночь он тихо стонет. Нам хорошо слышно, потому что ветер дует в нашу сторону. Утром, когда мы уже думаем, что он давно упокоился, до нас опять долетает булькающее хрипение...

Стоит жара, а мертвецы лежат непогребенные. Мы не можем вынести всех, не знаем, куда их девать. Их хоронят снаряды. У некоторых животы вздуваются как шары. Шипят, рыгают, шевелятся. Внутри там бурлит газ.

Небо синее, безоблачное. Вечерами становится душно, зной поднимается из земли. Когда ветер дует на нас, он приносит с собой запах крови, тяжелый, отвратительно-сладковатый, мертвые испарения воронок, словно смесь хлороформа и тлена, вызывающая у нас дурноту и рвоту.

Ночами теперь спокойно, и начинается охота за медными ведущими поясками от снарядов и шелковыми зонтиками от французских осветительных ракет. Отчего снарядные пояски пользуются таким спросом, никто, собственно, не знает. Собиратели просто утверждают, что они-де ценные. Некоторые натащили столько, что, когда мы уходим в тыл, шагают согнувшись под их тяжестью в три погибели.

Хайе, во всяком случае, называет причину: хочет послать их невесте, вместо подвязок для чулок. Среди фризов по этому поводу, конечно же, разгорается бурное веселье, они хлопают себя по коленкам, вот умора так умора, черт подери, ох и пройдоха этот Хайе. Особенно разошелся Тьяден, прямо удержу не знает; он подхватил самый большой поясок и поминутно сует в него ногу, показывая, сколько там свободного места.

— Хайе, друг, ножки-то у нее будь здоров... — Мысленно Тьяден взбирается чуть выше. — А задница в таком разе, поди, как... как у слона. — Он не в силах угомониться: — Хотел бы я дать шлепка по ейному филею, едрена вошь...

Хайе сияет, слыша столь восторженные похвалы по адресу своей невесты, и самодовольно бросает:

— Крепкая баба!

От шелковых зонтиков практической пользы куда больше. Из трех-четырех получается блуза, в зависимости от объема груди. Мы с Кроппом пускаем их на носовые платки. Остальные отсылают зонтики домой. Если б их жены видели, с каким риском зачастую добывают эти тонкие лоскутья, они бы здорово напугались.

Кач застает Тьядена, когда тот совершенно спокойно пытается сбить пояски с неразорвавшегося снаряда. У любого другого случился бы взрыв, а Тьядену, как всегда, везет.

Целое утро перед нашей позицией порхают две бабочки. Лимонницы, с красными точками на желтых крылышках. Какими судьбами их сюда занесло — кругом ни травинки, ни цветка. Они отдыхают на зубах черепа. В точности как они, беспечны и птицы, давно привыкшие к войне. Каждое утро над фронтовой полосой вьются жаворонки. Год назад мы даже видели, как они высидели птенцов и поставили их на крыло.

В окопах крысы дают нам передышку. Они впереди — и мы знаем причину. Крысы жиреют; заметив какую-нибудь, мы сразу ее отстреливаем. Ночами на той стороне опять слышен гул. Днем ведется обычный обстрел, так что можно подремонтировать окопы. Развлечений тоже хватает. Благодаря самолетам. Многочисленные воздушные бои ежедневно находят своих зрителей.

Боевые самолеты мы терпим, а вот разведывательные ненавидим пуще чумы, ведь они наводят на нас огонь артиллерии. Через несколько минут после их появления шрапнель и снаряды сыплются градом. Именно поэтому мы за один день теряем одиннадцать человек, в том числе пятерых санитаров. Двоих расплющило так, что, по словам Тьядена, их можно соскрести с эскарпа ложкой и похоронить в котелке. Еще одного разорвало пополам. Мертвый, он лежит грудью на стенке окопа, лицо лимонно-желтое, в бороде тлеет сигарета. Тлеет, пока не гаснет на губах.

Убитых мы пока складываем в большую воронку. Их там сейчас три слоя.

Внезапно опять начинается шквальный обстрел. Но скоро мы вновь сидим в напряженном оцепенении праздного ожидания.

Атака, контратака, удар, контрудар — слова, но что за ними стоит! Мы теряем множество людей, большей частью новобранцев. Наш участок опять доукомплектовывают. Полк из новых, почти сплошь молодые парни последних годов призыва. Подготовлены плохо, худо-бедно усвоили кое-что теоретически — и на фронт. Знают, конечно, что такое ручная граната, а вот об укрытии имеют слабое представление и, главное, не умеют его увидеть. Взгорок меньше полуметра высотой вообще не замечают.

Хотя подкрепление нам необходимо, пользы от новобранцев мало, зато хлопот и работы куда больше. В этом районе тяжелых наступательных боев они беспомощны и гибнут как мухи. Нынешняя позиционная война требует знаний и опыта, надо чувствовать местность, ухом распознавать снаряды, их звук и воздействие, уметь предвидеть, где они ударят, каков их разброс и как от них защититься.

Молодое пополнение, разумеется, об этом почти ничего еще не знает. Его уничтожают, так как оно толком не умеет отличить шрапнель от осколочного снаряда, людей сметает, потому что они со страхом прислушиваются к вою неопасных крупнокалиберных «чемоданов», которые падают далеко позади, и не слышат тихого жужжания мелких, какими ведется настильный обстрел. Точно овцы, они сбиваются в кучу, вместо того чтобы разбежаться в разные стороны, и даже раненых расстреливают с самолетов, точно зайцев.

Бледные брюквенные лица, судорожно скрюченные руки, щемящая храбрость этих бедолаг, которые все-таки идут в атаку, этих отважных бедолаг, настолько запуганных, что они даже громко кричать не смеют, с разорванной грудью, животом, руками, ногами лишь тихонько зовут маму и сразу умолкают, как только на них посмотрят.

Их мертвые, покрытые пушком, заострившиеся лица отмечены жуткой невыразительностью умерших детей.

Комок подкатывает к горлу, когда смотришь, как они вскакивают, бегут, падают. Хочется поколотить их за дурость и взять на руки, унести отсюда, где им не место. Все они в серых форменных куртках, брюках и сапогах, но большинству форма велика, болтается как на вешалке, плечи у них слишком узкие, тела слишком мелкие, формы таких детских размеров не предусмотрели.

На одного старика приходится от пяти до десяти новобранцев. Внезапная газовая атака уносит многих. Они даже не успели догадаться, что их ожидало. Мы обнаруживаем целый блиндаж, полный парней с посиневшими лицами и черными губами. А в одной из воронок они слишком рано сняли противогазы, не знали, что газ дольше всего держится над самой почвой, в низинах, и, увидев наверху людей без масок, сорвали свои, а потому наглотались достаточно, чтобы спалить себе легкие. Их состояние безнадежно, они умирают, захлебываясь кровью и задыхаясь.

На передовой позиции я вдруг сталкиваюсь с Химмельштосом. Мы укрываемся в одном блиндаже. Все вокруг в напряжении, ждут начала атаки.

При всей горячке, в какой я вместе с остальными бегу к выходу, в голове у меня молнией мелькает мысль: я не вижу Химмельштоса! Быстро бросаюсь назад в блиндаж: вот он, лежит в углу, с мелкой поверхностной царапиной, изображает раненого. Физиономия словно после драки. У него приступ страха, он ведь тоже новичок. Но меня бесит, что мальчишки из пополнения идут в атаку, а он торчит здесь.

— Выметайся! — ору я.

Он не двигается, губы дрожат, усы трясутся.

— Выметайся! — повторяю я.

Он подбирает ноги, жмется к стене и скалит зубы, как собака.

Я хватаю его за плечо, хочу рывком поставить на ноги. Он взвизгивает. И тут у меня сдают нервы. Держу его за шкирку, трясу как мешок, так что голова мотается из стороны в сторону, и ору ему в физиономию:

— Мерзавец, а ну пошел!.. Сволочь, живодер, увильнуть надумал? — Глаза у него стекленеют, я бью его башкой об стену. — Скотина! — Пинок под ребра. — Свинья! — Я вышвыриваю его из блиндажа головой вперед.

Новая волна наших как раз бежит мимо. С ними лейтенант. Увидев нас, он кричит:

— Вперед, вперед, живо присоединяйтесь!..

И случается то, чего я взбучкой добиться не сумел. Услышав приказ командира, Химмельштос приходит в себя, глядит вокруг и присоединяется к атакующим.

Я следую за ним, вижу, как он бежит. Теперь это снова молодцеватый Химмельштос с казарменного плаца, он даже далеко обгоняет лейтенанта...

Ураганный огонь, заградительный огонь, огневая завеса, мины, газ, танки, пулеметы, ручные гранаты — слова, слова, но в них заключен всемирный кошмар.

Лица у нас заскорузлые, мысли опустошены, мы смертельно устали; когда начинается атака, иных приходится расталкивать кулаками, чтобы проснулись и шли; глаза воспалены, руки изодраны, колени кровоточат, локти разбиты.

Минуют недели... месяцы... годы? Всего лишь дни... Мы видим, как рядом с нами время пропадает в бесцветных лицах умирающих, мы заглатываем еду, бежим, бросаем, стреляем, убиваем, лежим, мы ослабли и отупели, поддерживает нас лишь то, что есть еще более слабые, еще более отупевшие, еще более беспомощные, которые смотрят на нас широко открытыми глазами как на богов, порой избегающих смерти.

В короткие часы покоя мы наставляем их:

— Вон там, видишь, верхушка дерева качнулась? Это летит мина! Лежи, она рванет дальше. А вот если пойдет вот так, удирай! От нее можно убежать.

Мы тренируем их уши на коварное жужжание мелких снарядов, оно едва уловимо, но его необходимо расслышать в грохоте, как жужжание комаров; мы вдалбливаем им, что эта мелочь опаснее крупных снарядов, какие слышно издалека. Показываем, как спрятаться от самолетов, как притвориться мертвым, если тебя сминает атака, как выдернуть чеку гранаты, чтобы она взорвалась за полсекунды до удара о землю; учим их молниеносно падать в воронки — от фугасных снарядов; показываем, как с помощью связки гранат овладеть окопом с фланга, объясняем разницу в продолжительности воспламенения ручных гранат противника и наших, обращаем их внимание на звук газовых боеприпасов и демонстрируем приемы, которые могут спасти их от смерти.

Они слушают, беспрекословно, старательно, однако в следующий раз, когда все начинается, в горячке опять действуют большей частью неправильно.

Хайе Вестхуса тащат на волокуше прочь, ему сорвало спину, при каждом вздохе в ране пульсирует легкое. Я еще успеваю пожать ему руку.

— Это конец, Пауль, — стонет он и от боли кусает себя в предплечье.

Мы видим еще живых людей, которым снесло череп; видим, как идут солдаты, которым оторвало обе ступни, они ковыляют на изломанных обрубках к ближайшему окопу; один ефрейтор два километра ползет на руках, таща за собой раздробленные в коленях ноги; еще один идет к перевязочному пункту, держась руками за живот, откуда вываливаются кишки; мы видим людей без рта, без нижней челюсти, без лица; находим такого, что два часа зубами пережимает артерию на руке, чтобы не истечь кровью; встает солнце, наступает ночь, свистят снаряды, жизнь кончена.

Но клочок развороченной земли, где мы окопались, удержан, несмотря на превосходство противника, отданы лишь несколько сотен метров. И каждый метр стоил нам одного убитого.

Нас сменяют. Снова колеса грузовиков уносят нас прочь, мы тупо стоим, а услышав окрик «Внимание! Провода!», подгибаем колени. Когда нас везли сюда, было лето, деревья еще зеленели, теперь они выглядят уже по-осеннему, а ночь хмурая и сырая. Машины останавливаются, мы вылезаем из кузовов, разношерстная толпа, остаток многих имен. Сбоку стоят темные фигуры, выкликают номера полков и рот. И всякий раз отделяется кучка, скудная, малочисленная кучка грязных, бледных солдат, до ужаса маленькая кучка, до ужаса маленький остаток.

Вот кто-то выкликает номер нашей роты, судя по голосу, наш ротный, уцелел, значит, только рука на перевязи. Мы подходим к нему, и я вижу Кача и Альберта, мы становимся рядом, прислоняемся друг к другу, смотрим друг на друга.

Снова и снова мы слышим наш номер. Он может кричать долго, в лазаретах и воронках его не услышат.

Еще раз:

— Вторая рота, ко мне!

Потом тише:

— Больше никого из второй роты? — Он умолкает, потом слегка хрипло спрашивает: — Это все? — И командует: — Рассчитайсь!

Серое утро, на позиции мы уходили еще летом, и было нас сто пятьдесят человек. Сейчас нам зябко, осень, шуршат листья, голоса устало роняют:

— Первый... второй... третий... четвертый... — На тридцать втором они умолкают. Молчание длится долго, пока не раздается вопрос:

— Еще кто-нибудь есть? — Ожидание, затем тихо: — Повзводно... — Он осекается, доканчивает: — Вторая рота... — И с трудом: — Вторая рота, не в ногу марш!

Шеренга, короткая шеренга шагает навстречу утру.

Тридцать два человека.

VII

Нас отводят дальше обычного, в полевой сборно-учебный лагерь, на переформирование. Нашей роте требуется больше сотни человек пополнения.

До поры до времени болтаемся без дела, если свободны от дежурств. Через два дня приходит Химмельштос. После окопов спесь с него слетела. Он предлагает помириться. Я готов, потому что видел, как он помогал выносить Хайе Вестхуса, которому сорвало спину. Поскольку же вдобавок Химмельштос говорит вполне разумно, мы не против, когда он приглашает нас в столовую. Только Тьяден недоверчив и сдержан.

Однако и он смягчается, ведь Химмельштос сообщает, что будет замещать кашевара, который уезжает в отпуск. И в доказательство немедля выдает нам два фунта сахару, а персонально Тьядену — полфунта сливочного масла. Мало того, устраивает так, что на ближайшие три дня нас командируют на кухню — чистить картошку и брюкву. И получаем мы там превосходный офицерский харч.

Итак, сейчас нам обеспечено все то, что солдату нужно для счастья, — хорошая еда и покой. Немного, если вдуматься. Еще годдругой назад мы бы жутко себя презирали. А теперь почти довольны. Все входит в привычку, в том числе и окопы.

В силу этой привычки мы вроде как очень быстро забываем. Позавчера еще были под огнем, сегодня валяем дурака и шляемся по округе, а завтра снова двинем в окопы. На самом деле ничего мы не забываем. Пока мы должны воевать, фронтовые дни, закончившись, опускаются куда-то в глубины нашего существа, слишком они тягостны, и сразу же думать о них нельзя. Только задумайся — и они задним числом убьют тебя; вот это я уже заметил: кошмар можно выдержать, пока просто ему покоряешься, но он убивает, если размышляешь о нем.

Отправляясь на позиции, мы становимся животными, поскольку это единственное, что дает шанс продержаться, и точно так же на отдыхе превращаемся в легкомысленных шутников и засонь. Иначе никак не можем, что-то нас форменным образом к этому принуждает. Любой ценой мы хотим жить, и нам нельзя обременять себя чувствами, возможно весьма похвальными в мирное время, но здесь фальшивыми. Кеммерих мертв, Хайе Вестхус умирает, с телом Ханса Крамера на Страшном суде будет много хлопот — попробуй собери после прямого попадания; у Мартенса больше нет ног, Майер убит, Маркс убит, Байер убит, Хеммерлинг убит. Сто двадцать человек лежат где-то сраженные пулями и снарядами, — хреново, конечно, только нам что за дело, мы-то живы. Если б мы могли их спасти, тогда да, мы бы на все пошли, даже и на гибель, какая разница, ведь при желании мы действуем чертовски энергично; боязни в нас мало, нам знаком страх смерти, но это совсем другое, инстинктивное.

Только вот товарищи наши погибли, мы не в силах им помочь, они обрели покой — кто знает, что еще нам предстоит, оттого-то мы спим или рубаем от пуза, сколько влезет, пьянствуем и курим, чтобы разогнать скуку. Жизнь коротка...

Фронтовой кошмар уходит вглубь, если повернуться к нему спиной, мы давим его похабными и мрачными шуточками; когда кто-нибудь умирает, говорим, что он откинул копыта, и вот так говорим обо всем, это спасает от сумасшествия, и, пока воспринимаем все таким манером, мы сопротивляемся.

Но мы не забываем! Военные газеты пишут о замечательном армейском юморе, о солдатах, которые, едва выйдя из-под ураганного обстрела, устраивают танцульки, однако это беспардонное вранье. Мы поступаем так не оттого, что юмористы по натуре, нет, просто без юмора нам каюк. Черепушка и без того на пределе, долго не выдержит, юмор с каждым месяцем становится все горше.

И я знаю: все, что сейчас, пока мы воюем, камнем оседает в глубине, после войны проснется, и вот тогда начнется схватка не на жизнь, а на смерть.

Дни, недели, годы здесь, на фронте, вернутся снова, и погибшие товарищи восстанут из мертвых и пойдут с нами, в головах будет ясность, у нас будет цель, и так мы пойдем, погибшие товарищи рядом, годы фронта позади — против кого, против кого?

В этих местах недавно побывал фронтовой театр. На дощатой стенке еще висят пестрые афиши спектаклей. Мы с Кроппом удивленно их разглядываем. В голове не укладывается, что такое еще существует. На афише изображена девушка в светлом летнем платье, подпоясанном красным лаковым ремешком. Одной рукой она опирается на перила, в другой держит соломенную шляпку. На ней белые чулочки и белые туфельки, изящные туфельки с пряжками, на высоком каблуке. За спиной у нее сверкает синее море с белыми барашками на волнах, сбоку голубеет бухта. Очаровательная девушка — с тонким носиком, алыми губками и длинными ногами, невероятно чистенькая и ухоженная, наверняка дважды в день принимает ванну и никогда не разводит грязь под ногтями. Ну разве что застрянет иногда песчинка-другая с пляжа.

Рядом с девушкой — мужчина в белых брюках, синем пиджаке и морской фуражке, но он интересует нас куда меньше.

Девушка с афиши на дощатой стенке кажется нам чудом. Мы совершенно забыли, что существует такое, да и теперь толком не верим своим глазам. Сколько лет мы не видели ничего подобного, ничего даже отдаленно подобного этой безмятежности, красоте и счастью. Это мир, вот таким должно быть мирное время, с волнением думаем мы.

— Ты глянь на эти легкие туфли, она бы в них и километра не прошагала, — говорю я и в тот же миг чувствую себя круглым дураком, глупо ведь, глядя на этакую картину, думать о марше.

— Как по-твоему, сколько ей лет? — спрашивает Кропп.

— Самое большее года двадцать два, Альберт, — прикидываю я.

— Тогда выходит, она старше нас. Ей не больше семнадцати, говорю тебе!

У нас мурашки бегут по коже.

— Альберт, вот это да, верно?

Он кивает:

— У меня дома тоже есть белые брюки.

— Белые брюки, — говорю я, — а такая вот девушка...

Мы оглядываем один другого. Смотреть особо не на что, у каждого выгоревшая, залатанная, грязная форма. Безнадежная затея — сравнивать.

Поэтому для начала мы сдираем с досок молодого человека в белых брюках, осторожно, чтобы не повредить девушку. Это уже кое-что. Потом Кропп предлагает:

— Может, на дезинсекцию сходим?

Я не очень-то рвусь, одежда от этого портится, а вши через два часа опять тут как тут. Но после того как мы еще немного полюбовались картинкой, я соглашаюсь. Даже иду еще дальше:

— Может, и чистые рубахи раздобыть сумеем...

Альберт почему-то думает иначе:

— А лучше — портянки.

— Может, и портянки. Давай-ка пойдем на разведки.

Тут прогулочным шагом подходят Леер и Тьяден, видят афишу, и в мгновение ока разговор становится довольно похабным. Леер первым в нашем классе завел роман и рассказывал о нем волнующие подробности. Он на свой лад восхищается картинкой, и Тьяден не отстает.

Нам не то чтобы противно. Кто не похабничает, тот не солдат. Просто в эту минуту мы не очень расположены к подобным разговорам, а потому сворачиваем в сторону и шагаем к дезинсекционной камере, с ощущением, будто это изысканный модный магазин.

Домá, где нас расквартировали, расположены недалеко от канала. За каналом — пруды, окруженные тополевыми рощами, а вдобавок там женщины.

На нашей стороне народ из домов выселили. А на той изредка можно увидеть местных жителей.

Вечером мы плаваем. На берегу появляются три женщины. Идут медленно и глаз не отводят, хотя мы без плавок.

Леер окликает их. Они смеются, останавливаются, смотрят на нас. На ломаном французском мы выкрикиваем фразы, которые приходят в голову, все вперемешку, торопливо, лишь бы они не ушли. Изысками тут и не пахнет, да и откуда им взяться.

Одна из женщин худенькая, чернявая. Когда она смеется, видно, как поблескивают зубы. Движения у нее быстрые, юбка свободно вьется вокруг ног. Хотя вода холодная, мы ужасно разгорячились и стараемся вызвать интерес, не дать им уйти. Пытаемся шутить, и они отвечают, но мы их не понимаем, смеемся и машем руками. А вот Тьяден умнее. Бежит в дом, выносит буханку хлеба, поднимает над головой.

Успех огромный. Девушки кивают, знаками приглашают перебраться на тот берег. Но нам нельзя. Запрещено. Ступать на тот берег запрещено. На мостах всюду часовые. Без пропуска нечего и соваться. Поэтому мы стараемся объяснить, что лучше им прийти к нам, но они отрицательно мотают головой, показывая на мосты. Их тоже не пропустят.

Они поворачивают, медленно идут обратно, опять вдоль берега канала. Мы вплавь их провожаем. Через несколько сотен метров они сворачивают, показывают на дом, выглядывающий чуть поодаль из зарослей деревьев и кустов. Леер спрашивает, там ли они живут.

Они смеются: да, там их дом.

Мы в ответ кричим, что придем, когда часовые не увидят. Ночью. Этой ночью.

Они поднимают руки, складывают ладони, прислоняются к ним щекой, закрывают глаза. Поняли. Худенькая чернявая пританцовывает. Блондинка щебечет:

— Хлеб... хорошо...

Мы энергично заверяем, что принесем хлеба. И другие замечательные вещи, мы закатываем глаза и жестами показываем какие. Леер чуть не захлебывается, пытаясь изобразить «кусок колбасы». В случае чего мы бы им целый продовольственный склад посулили. Они уходят, то и дело оглядываясь назад. Мы вылезаем на свой берег, смотрим, войдут ли они в тот дом, ведь вполне могут и обмануть. Потом плывем обратно.

Без пропуска через мост не пройдешь, поэтому ночью мы просто переплывем канал. Нас обуревает неуемное волнение. Не в силах усидеть на месте, идем в столовую. Там как раз есть пиво и что-то вроде пунша.

Мы пьем пунш и потчуем друг друга завиральными историями. Охотно принимаем их на веру и с нетерпением ждем своей очереди выложить еще более невероятную байку. Не зная, чем занять беспокойные руки, без конца смолим сигареты, пока Кропп не говорит:

— Вообще-то можно бы захватить для них и немного курева.

Тогда мы прячем сигареты в шапки — целее будут.

Небо становится зеленым, как незрелое яблоко. Нас четверо, а должно быть только трое, поэтому надо отделаться от Тьядена, и мы накачиваем его ромом и пуншем, так что в конце концов он едва держится на ногах. С наступлением темноты идем к своим домам, Тьяден посредине. Разгоряченные, мы полны жажды приключений. Чернявая худышка для меня: кто с кем — решено заранее.

Тьяден падает на свой тюфяк и тотчас разражается храпом. Потом вдруг просыпается, да с такой хитрой ухмылкой, что мы пугаемся, думая, что он нас обдурил и весь пунш пропал зря. Но он опять валится на тюфяк, спит дальше.

Каждый из нас троих достает буханку хлеба, заворачивает в газету. Туда же кладем сигареты и три солидных куска ливерной колбасы, которую нам выдали сегодня вечером. Приличный подарок.

До поры до времени суем все это в сапоги, ведь сапоги нужно взять с собой, чтобы на том берегу не поранить ноги проволокой или стекляшками. А поскольку предстоит плыть, одежда нам не понадобится. Темно, да и недалеко.

С сапогами в руках выходим из дома. Быстро соскальзываем в воду, ложимся на спину, плывем, держа сапоги с добром над головой.

На другом берегу осторожно вылезаем из воды, вытаскиваем свертки, надеваем сапоги. Свертки суем под мышку. И мокрые, голые, в одних сапогах припускаем рысью. Дом находим сразу — темное пятно в кустах. Леер падает, споткнувшись о корни, обдирает локти, но весело говорит:

— Пустяки!

Окна закрыты ставнями. Мы тихонько крадемся вокруг дома, пробуем заглянуть в щелки. Потом нас захлестывает нетерпение. А на Кроппа вдруг нападают сомнения:

— Что, если у них там майор?

— Тогда смоемся, — смеется Леер, —

пусть-ка прочтет вот здесь полковой номер! — Он хлопает себя по ягодице.

Не заперто. Сапоги изрядно громыхают. Дверь отворяется, оттуда падает луч света, слышен испуганный женский вскрик. Мы бормочем:

— Тсс... camerade... bon ami...[1] — и поднимаем вверх свертки.

Теперь видны и две другие, дверь открывается настежь, мы стоим на свету. Они узнают нас, и все три безудержно хохочут над нашим видом. Прямо-таки гнутся-качаются от смеха в дверном проеме. До чего же грациозные движения!

— Un moment...[2] — Они исчезают в комнате, бросают нам какие-то вещи, чтобы худо-бедно прикрыть наготу. После этого нам позволяют войти. В комнате горит маленькая лампа, тепло, слегка пахнет духами. Мы разворачиваем свертки, вручаем им. Глаза у них блестят, видно, что их мучает голод.

Тут мы все немного тушуемся. Леер жестом показывает: ешьте! Снова оживление, они приносят тарелки и ножи, набрасываются на съестное. Отрезав кусочек ливерной колбасы, каждый раз восхищенно им любуются и только потом отправляют в рот; а мы гордо сидим рядом.

---

[1] Товарищ... друг... (*фр.*)

[2] Минутку... (*фр.*)

Слова чужого языка льются потоком — мы мало что понимаем, но слышим, что слова теплые, приветливые. Наверно, мы и выглядим очень молоденькими. Чернявая худышка гладит меня по волосам и произносит то, что неизменно говорят все француженки:

— La guerre... grand malheur... pauvre garçons...[1]

Я задерживаю ее руку, прижимаюсь губами к ладони. Пальцы обхватывают мое лицо. Совсем близко надо мной волнующие глаза, нежная смуглость кожи и алые губы. Рот произносит слова, которых я не понимаю. Я и глаза не вполне понимаю, они говорят больше, чем мы ожидали, когда пришли сюда.

Рядом смежные комнаты. На ходу я вижу Леера, он с блондинкой, самоуверенный и шумный. Что ж, ему не впервой. А вот я во власти чего-то далекого, тихого, кипучего и доверяюсь ему. Мои желания — странная смесь вожделения и поражения. Голова кружится, но здесь не за что ухватиться. Сапоги мы оставили у двери, вместо них нам дали тапки, и теперь нет больше ничего, что вернет мне солдатскую уверенность и наглость, — ни винтовки, ни ремня, ни форменной куртки, ни шапки. Я падаю в неизвестность, будь что будет... ведь я побаиваюсь, несмотря ни на что.

---

1 Война... большое несчастье... бедные мальчики... (*фр.*)

Чернявая худышка в задумчивости шевелит бровями, а когда говорит, они не двигаются. Порой и звук не вполне становится словом, замирает или незавершенный скользит надо мной — дуга, орбита, комета. Что я знал об этом... и что знаю?.. Слова чужого языка, едва мне понятного, баюкают меня, навевают покой, в котором расплывается комната, коричневая, тускло освещенная, и только лицо надо мной живое и ясное.

Как многообразно лицо, если еще час назад было чужим, а теперь склоняется к нежности, идущей не из него, но из ночи, мира и крови, которые словно сияют в нем сообща. Тронутые ими предметы в комнате преображаются, делаются особенными, и я испытываю чуть ли не благоговение перед собственной бледной кожей, когда на нее падает свет лампы и прохладная смуглая рука ласкает ее.

Здесь все совершенно по-другому, не как в солдатских борделях, куда нам разрешено ходить, подолгу отстаивая в очереди. Мне не хочется о них думать, но они невольно приходят на ум, и я пугаюсь, ведь, может статься, от такого вообще никогда уже не избавишься.

А потом я чувствую губы чернявой худышки и тянусь им навстречу, закрываю глаза, мне хочется вот так стереть всё — войну, и кошмар, и пошлость, — чтобы проснуться молодым и счастливым; я думаю о девушке с афиши, и на секунду мне кажется, будто моя жизнь зависит от того, сумею ли я ее завоевать... И тем крепче прижимаюсь к рукам, которые меня обнимают, — быть может, случится чудо.

После мы каким-то образом опять собираемся вместе. Леер смотрит орлом. Мы сердечно прощаемся, надеваем сапоги. Ночной воздух остужает разгоряченные тела. В темноте шумят высокие тополя. Луна в небе и в воде канала. Мы не бежим, идем рядом, широким шагом.

— Вполне стоило буханки хлеба! — говорит Леер.

Я не решаюсь открыть рот, я даже не рад.

Тут мы слышим шаги, прячемся за кустом.

Шаги приближаются, проходят мимо, совсем близко. Голый солдат в сапогах, точь-в-точь как мы; зажав под мышкой сверток, он галопом бежит к дому. Это Тьяден, спешит на всех парах. Уже исчез.

Мы смеемся. Завтра будет хай.

Никем не замеченные, мы добираемся до своих тюфяков.

Меня вызывают в канцелярию. Ротный вручает мне отпускное предписание и проездные документы, желает доброго пути. Я проверяю, сколько у меня отпуска. Семнадцать дней — четырнадцать отпускных, три на дорогу. Маловато, и я спрашиваю, нельзя ли получить на дорогу пять дней. Бертинк показывает на предписание. Только теперь я вижу, что на фронт вернусь не сразу. После отпуска мне надлежит явиться в учебный лагерь, на курсы.

Остальные мне завидуют. Кач дает полезные советы насчет того, как постараться добыть себе теплое местечко:

— Если действовать ловко, останешься там.

Вообще-то я бы предпочел уехать восемью днями позже, поскольку эти восемь дней мы еще пробудем здесь, а здесь хорошо.

В столовой я, конечно же, должен всех угостить. Мы слегка захмелели. Мне становится грустно; я уезжаю на шесть недель, не спорю, огромное везение, но как будет, когда я вернусь? Увижу ли их всех снова? Хайе и Кеммериха уже нет — кто следующий?

Мы пьем, я перевожу взгляд с одного на другого. Рядом со мной сидит Альберт, курит, бодрый, мы всегда были неразлучны... напротив — Кач с сутулыми плечами, широким большим пальцем и спокойным голосом... Мюллер с торчащими вперед зубами и лающим смехом... Тьяден с мышиными глазками... Леер, отпустивший бороду и выглядящий чуть не сорокалетним.

Над нашими головами плавает густой дым.

Солдату без табака никак нельзя! Столовая — это прибежище, пиво — больше чем напиток, это знак, что можно без опаски расправить руки-ноги. Мы так и делаем, сидим, вытянув ноги, с независимым видом, не глядя сплевываем. Каким все это видится, если завтра уезжаешь!

Ночью мы опять на той стороне канала. Я прямо-таки боюсь сказать чернявой худышке, что уезжаю, а когда вернусь, мы наверняка будем уже не здесь и, стало быть, мы с ней уже не увидимся. Но она только кивает и вроде бы не слишком огорчена. Сперва я толком не понимаю, но потом до меня доходит. Леер прав: если бы уходил на фронт, я бы снова услышал «pauvre garçon», но отпускник — об этом они знать особо не хотят, это не так интересно. Ну и пошла она к черту со своим шумом и болтовней. Веришь в чудеса, а в конечном счете все сводится к буханкам хлеба.

Следующим утром, после дезинсекции, я шагаю к полевой железной дороге. Альберт и Кач провожают меня. На остановке слышим, что до отправления, пожалуй, еще час-другой. Им надо возвращаться на службу. Мы прощаемся.

— Всего хорошего, Кач. Всего хорошего, Альберт.

Они уходят, еще несколько раз машут рукой. Их фигуры уменьшаются. Мне хорошо знакомы каждый их шаг, каждое движение, я бы узнал их издалека. Потом они исчезают.

Я сажусь на ранец, жду.

Внезапно меня захлестывает безумное нетерпение — скорей бы уехать.

Я ночую на вокзалах, стою в очереди к суповому котлу, сижу на досках, потом пейзаж снаружи делается пугающим, зловещим, знакомым. Он проплывает за вечерними окнами — деревни, где соломенные крыши, точно шапки, низко надвинуты на беленые фахверковые дома, хлебные поля, перламутром отливающие в косых лучах, фруктовые сады, овины, старые липы.

Названия станций пробуждают чувства, от которых сжимается сердце. Поезд пыхтит и пыхтит, я стою у окна, держась руками за раму. Эти названия обрамляют мою юность.

Равнинные луга, поля, усадьбы... Повозка медленно ползет на фоне неба по дороге, параллельной горизонту. Шлагбаум, возле которого ждут крестьяне, девушки, приветливо машущие руками, дети, играющие возле насыпи, дороги, бегущие вдаль, гладкие дороги, без артиллерии.

Вечер, и если бы поезд не пыхтел, я бы наверняка закричал. Равнина распахивается во всю ширь, в блеклой синеве вдалеке мало-помалу проступают очертания предгорий. Я узнаю характерный контур Дольбенберга, зубчатый гребень, резко обрывающийся там, где кончается макушка леса. За ним лежит город.

Но сейчас мир вокруг залит тускнеющим золотисто-алым светом, поезд громыхает, делает поворот, затем другой — и нереальные, призрачные, темные далеко-далеко встают тополя, длинная вереница, сотканная из теней, света и тоски.

Поле и деревья как бы медленно поворачиваются, поезд обходит их стороной, промежутки уменьшаются, тополя сливаются в монолит, и секунду я вижу лишь один, потом из-за переднего вновь выдвигаются остальные и еще долго видны на фоне неба, пока их не заслоняют первые дома.

Железнодорожный переезд. Я стою у окна, не могу оторваться. Остальные собирают вещи, готовятся выходить. Я негромко произношу название улицы, которую мы пересекаем: Бремерштрассе... Бремерштрассе... там, внизу, велосипедисты, машины, люди; серая улица, серый путепровод; она обнимает меня, как родная мать.

Но вот поезд останавливается — вокзал с его шумом, окликами, вывесками. Я надеваю ранец, защелкиваю карабины, беру в руки винтовку и, спотыкаясь, спускаюсь по лесенке.

На перроне осматриваюсь — среди спешащих людей ни одного знакомого. Сестра из Красного Креста предлагает мне напиться. Я отворачиваюсь, слишком глупо она улыбается, так переполняет ее собственная важность: вы посмотрите, я угощаю солдата кофе. Она называет меня «товарищ», мне только этого и недоставало. А у вокзала вдоль улицы плещет река, бурлит ключом, вырываясь из шлюзов Мельничного моста. Рядом с мостом старинная квадратная сторожевая башня, перед ней большая пестрая липа, а за ними вечер.

Здесь мы сидели, часто — как же давно... по этому мосту мы ходили, вдыхая прохладный, отдающий гнилью запах запруженной воды; мы наклонялись над спокойным потоком по эту сторону шлюза, где зеленые вьющиеся растения и водоросли оплетали быки моста, а в жаркие дни радовались пенным брызгам на другой стороне и обсуждали своих учителей.

Я иду через мост, смотрю направо и налево; в воде по-прежнему полно водорослей, и она по-прежнему светлой дугой бьет вниз; в башне, как и раньше, стоят гладильщицы с голыми плечами, утюжат белое белье, и жар утюгов струится из открытых окон. Собаки шныряют по узкой улочке, в дверях домов стоят люди, провожают меня взглядом, когда я, грязный, навьюченный, прохожу мимо.

В этой кондитерской мы ели мороженое и упражнялись в курении сигарет. На этой улице, скользящей мимо меня, я знаю каждый дом, магазин колониальных товаров, аптеку, булочную. И вот стою перед коричневой дверью с истертой ручкой, и моя рука вдруг тяжелеет. Открываю, навстречу странно веет прохладой, от нее глаза теряют уверенность.

Ступеньки скрипят под сапогами. Наверху хлопает дверь, кто-то выглядывает через перила. Открывали кухонную дверь, они как раз пекут картофельные оладьи, в доме пахнет ими, ведь сегодня суббота, и над перилами, наверно, склоняется моя сестра. На миг мне становится стыдно, я опускаю голову, потом снимаю каску, смотрю вверх. Да, это моя старшая сестра.

— Пауль! — кричит она. — Пауль!

Я киваю, ранец ударяется о перила, винтовка тяжеленная.

Она распахивает дверь, кричит:

— Мама, мама, Пауль приехал!

Я не в силах идти дальше. Мама, мама, Пауль приехал.

Прислоняюсь к стене, крепко сжимаю каску и винтовку. Сжимаю изо всех сил, но не могу сделать больше ни шагу, лестница плывет перед глазами, я опираюсь прикладом на ноги и яростно стискиваю зубы, но не могу противостоять этому единственному слову, которое выкрикнула сестра, ничто не может ему противостоять, я отчаянно стараюсь заставить себя рассмеяться и заговорить, однако не могу вымолвить ни слова, стою на лестнице, несчастный, беспомощный, в страшной судороге, я не хочу, а слезы невольно текут и текут по щекам.

Сестра возвращается, спрашивает:

— Что с тобой?

Тут я беру себя в руки, взбираюсь на площадку. Ставлю винтовку в угол, ранец прислоняю к стене, сверху кладу каску. Ремень со всеми причиндалами тоже снимаю. Потом со злостью говорю:

— Дай же мне наконец полотенце!

Она достает из шкафа полотенце, я утираю лицо. Надо мной на стене висит стеклянная витрина с пестрыми бабочками, которых я раньше собирал.

Теперь я слышу голос мамы. Он доносится из спальни.

— Она лежит? — спрашиваю я у сестры.

— Она больна... — отвечает сестра.

Я захожу в спальню, подаю матери руку и говорю как можно спокойнее:

— Вот я и приехал, мама.

Она тихо лежит в полумраке. Потом боязливо спрашивает, и я чувствую, как ее взгляд ощупывает меня:

— Ты ранен?

— Нет, я в отпуске.

Мама очень бледна. Я боюсь зажечь свет.

— Лежу тут и плачу, — говорит она, — вместо того чтобы радоваться.

— Ты больна, мама? — спрашиваю я.

— Сегодня встану ненадолго, — отвечает она и обращается к сестре, которая то и дело выбегает на кухню, чтобы еда не подгорела. — Открой банку с брусничным вареньем... Ты ведь его любишь? — спрашивает она у меня.

— Да, мама, я давно его не пробовал.

— Мы будто знали, что ты приедешь, — смеется сестра, — приготовили твои любимые картофельные оладьи, даже вот с брусникой.

— Сегодня ведь суббота, — отвечаю я.

— Посиди со мной, — просит мама.

Она смотрит на меня. Руки у нее белые, болезненные, такие узкие по сравнению с моими. Говорим мы мало, и я благодарен, что она ни о чем не расспрашивает. Да и что я скажу: все, что могло случиться, случилось. Я цел и невредим, сижу рядом с ней. А на кухне сестра готовит ужин и напевает.

— Дорогой мой мальчик, — тихо говорит мама.

У нас в семье никогда особо не нежничали, у бедняков, которые много работают и вечно в заботах, это не принято. Да они и не понимают сантиментов, не любят часто уверять в том, что и так знают. Мама говорит мне «дорогой мой мальчик», а многие другие в подобном случае учинили бы невесть что. Я совершенно уверен, что банка брусничного варенья уже много месяцев одна-единственная и что она берегла ее для меня, как и перележавшее бисквитное печенье, которым потчует меня сейчас. Достала немного печенья по случаю и сразу же припрятала для меня.

Я сижу у ее кровати, а за окном поблескивают буро-желтые листья каштанов в садике соседнего трактира. Я медленно перевожу дух, говорю себе: «Ты дома, ты дома». Но замешательство не оставляет меня, я пока не могу вполне освоиться. Вот моя мама, вот моя сестра, вот моя витрина с бабочками, вот пианино красного дерева — только сам я еще не вполне здесь. Меня отделяют дымка и один шаг.

Поэтому я выхожу, притаскиваю к кровати ранец и выкладываю то, что привез с собой: целую головку эдамского сыра, которую мне добыл Кач, две буханки черного хлеба, три четверти фунта сливочного масла, две банки печеночного паштета, фунт смальца и мешочек риса.

— Вам наверняка пригодится...

Они кивают.

— Здесь небось плохо с этим делом? — спрашиваю я.

— Да, с продовольствием туго. А у вас там хватает?

Я улыбаюсь, показываю на привезенное добро.

— Ну, не всегда чтобы много, но сносно.

Эрна уносит продукты. Мама вдруг хватает меня за руку и неуверенно спрашивает:

— На фронте было очень скверно, Пауль?

Мама, что мне на это ответить! Ты не поймешь, никогда не постигнешь. Да тебе и незачем постигать. Скверно ли там было, спрашиваешь ты... Ты, мама...

Я качаю головой, говорю:

— Нет, мама, не очень. Нас же там много, а вместе не так скверно.

— Да, но недавно Генрих Бредемайер заходил, он рассказывал, что там ужасно, газ и все такое.

Это говорит моя мама. Говорит: газ и все такое. Она не знает, чтó говорит, просто боится за меня. Рассказать ей, что однажды мы обнаружили три неприятельских окопа, где все, будто их разом хватил удар, окоченели в разных позах? На брустверах, в блиндажах, там, где их накрыло, стояли и лежали люди с посиневшими лицами, мертвые.

— Ах, мама, мало ли что говорят, — отвечаю я, — Бредемайер болтает почем зря. Ты же видишь, я невредимый и упитанный...

Трепетная забота мамы возвращает мне спокойствие. Теперь я уже в состоянии пройтись по комнатам, говорить и держать ответ, не опасаясь, что вдруг поневоле прислонюсь к стене, поскольку мир сделается мягким, как резина, а жилы — хрупкими, как трут.

Мама хочет встать, и я пока выхожу на кухню к сестре.

— Что с ней? — спрашиваю я.

Сестра пожимает плечами:

— Уже несколько месяцев не встает, только мы не хотели писать тебе. Несколько врачей приходили. Один сказал, что, наверно, рак.

Я иду в окружное военное управление доложить о прибытии. Медленно шагаю по улицам. Временами кто-нибудь со мной заговаривает. Но надолго я не задерживаюсь, не хочу вступать в пространные разговоры.

На обратном пути меня окликает громкий голос. Оборачиваюсь, погруженный в задумчивость, — передо мной майор. Напускается на меня:

— Вы что, не умеете отдавать честь?

— Прошу прощения, господин майор, — растерянно говорю я, — я вас не видел.

Он еще повышает голос:

— Вы и отвечать, как положено по уставу, не умеете?

У меня руки чешутся двинуть ему по физиономии, но я сдерживаюсь, ведь иначе отпуску конец, становлюсь навытяжку:

— Я не видел господина майора!

— Извольте быть внимательным! — рявкает он. — Ваше имя?

Я докладываю.

Толстая красная физиономия по-прежнему пышет возмущением.

— Из какой части?

Снова рапортую по всей форме. Ему все еще недостаточно.

— Где расположена ваша часть?

Но с меня довольно, и я отвечаю:

— Между Лангемарком и Биксхооте.

— Где? — несколько ошеломленно переспрашивает он.

Я объясняю, что час назад прибыл в отпуск, и думаю, что теперь он отвалит. Однако ошибаюсь. Он еще больше выходит из себя.

— Вам, видимо, очень бы хотелось насаждать здесь фронтовые привычки, а? Не надейтесь! Здесь, слава Богу, порядок! — Он командует: — Двадцать шагов назад, марш!

Во мне кипит глухая ярость. Но я ничего не могу поделать, он ведь прикажет немедля взять меня под арест, если захочет. И я отхожу назад, марширую вперед и в шести метрах от него молодцевато бросаю руку к козырьку и опускаю ее, оставив его в шести метрах за спиной.

Он снова подзывает меня и теперь снисходительно заявляет, что готов сменить гнев на милость. Я выказываю горячую благодарность.

— Идите! — командует он.

Щелкнув каблуками, я поворачиваюсь кругом, ухожу.

Вечер испорчен. Иду домой, швыряю форму в угол, как и собирался. Достаю из шкафа штатский костюм, надеваю.

Совершенно непривычное ощущение. Костюм коротковат и маловат, на фронте я вырос. Справиться с воротничком и галстуком никак не удается. В конце концов узел завязывает сестра. Как легок этот костюм, кажется, будто ты в одних подштанниках и рубашке.

Смотрю на себя в зеркало. Странное зрелище. Дочерна загорелый конфирмант-переросток удивленно глядит на меня.

Мама рада, что я в штатском; так я ей ближе. Но отец бы предпочел, чтобы я надел форму, ему хочется показать меня своим знакомым.

Но я не соглашаюсь.

Как замечательно — тихо-спокойно где-нибудь посидеть, например под каштанами в трактире напротив, рядом с кегельбаном. Листья падают на стол и на землю, пока что редкие, первыс. Передо мной стакан пива, в армии привыкаешь выпивать. Стакан наполовину опустел, осталось несколько добрых глотков, вдобавок можно заказать второй стакан и третий, если захочется. Нет ни поверки, ни ураганного огня, хозяйские дети играют в кегельбане, собака кладет голову мне на колени. Небо голубое, сквозь листву каштанов виднеется зеленая башня церкви Святой Маргариты.

Все это хорошо и мне по душе. А вот с людьми мне приходится туго. Одна только мама ни о чем не спрашивает. С отцом уже обстоит иначе. Ему охота услышать мои рассказы о войне, его желания кажутся мне трогательными и глупыми, настоящей связи с ним я уже не чувствую. Он готов слушать не переставая. Я понимаю, он не знает, что рассказывать об этом нельзя, и мне хотелось бы доставить ему удовольствие; однако для меня рискованно облекать такие вещи в слова, я опасаюсь, что тогда они примут огромные размеры и совладать с ними будет невозможно. Что с нами станется, если мы совершенно ясно увидим, что происходит на фронте...

Потому-то я ограничиваюсь рассказами о нескольких забавных случаях. А он спрашивает, участвовал ли я в ближнем бою. Я говорю «нет» и встаю, иду прогуляться.

Правда, лучше не становится. На улице я несколько раз испуганно вздрагиваю, потому что визг трамваев похож на звук летящих снарядов, и тут кто-то хлопает меня по плечу. Наш учитель немецкого. Атакует меня обычными вопросами:

— Ну как там на фронте? Ужасно, да? Разумеется, страшно, но ведь держаться необходимо. И в конце концов у вас там хотя бы с продовольствием хорошо, как я слыхал. Вы отлично выглядите, Пауль, вон какой крепыш. Здесь, естественно, обстоит похуже, вполне естественно, понятно ведь: все лучшее для наших солдат!

Он тащит меня за столик завсегдатаев. Встречают меня с восторгом, некий директор жмет мне руку:

— Так-так, вы с фронта? Каков же там настрой? Выше похвал, верно?

Я говорю, что всем хочется домой.

Он раскатисто хохочет:

— Еще бы, охотно верю! Но сперва вы должны разбить француза! Курите? Вот, угощайтесь. Официант, пива нашему молодому воину.

К сожалению, сигару я взял, а потому вынужден остаться. Все прямо-таки тают от благорасположения, ничего не скажешь. И тем не менее я зол и стараюсь дымить как можно быстрее. Надо хоть что-нибудь делать, и я залпом выпиваю пиво. Мне тотчас заказывают второй стакан; люди знают, чем обязаны солдату. Рассуждают о том, что́ нам следует аннексировать. У директора с железной цепочкой для часов аппетиты недюжинные: вся Бельгия, угольные районы Франции и большие территории России. Он и конкретные причины указывает, по которым мы должны все это заполучить, и непоколебимо гнет свое, пока остальные в итоге не соглашаются. Потом он принимается разъяснять, где во Франции нужно начать прорыв, и время от времени обращается ко мне:

— Продвиньтесь же хоть немного вперед в этой вашей бесконечной позиционной войне. Вышибите поскорей эту шушеру вон, и настанет мир.

Я отвечаю, что, по нашему мнению, прорыв невозможен. У противника слишком много резервов. К тому же война совсем не такова, как они здесь думают.

Он высокомерно отметает мои возражения, доказывает, что я ничего в этом не смыслю.

— Конечно, одиночка есть одиночка, — говорит он, — но речь-то идет о совокупности, о целом. А это вы оценить не можете. Вы видите лишь свой небольшой участок и оттого не имеете полного представления. Вы исполняете свой долг, рискуете жизнью, честь вам и хвала... каждый из вас достоин Железного креста... но прежде всего необходимо прорвать вражеский фронт во Фландрии и смять его с севера на юг. — Он переводит дух, расправляет бороду. — Его необходимо полностью смять, с севера на юг. А затем идти на Париж.

Я интересуюсь, как он себе это представляет, и осушаю третий стакан пива. Он немедля заказывает новый.

Но я ухожу. Он сует мне в карман еще несколько сигар и на прощание дружески хлопает по плечу:

— Всего хорошего! Надеюсь, вскоре мы услышим от вас добрые вести.

Отпуск я представлял себе иначе. Год назад он и был другим. Наверно, за это время изменился я сам. Сегодня и тогда разделены пропастью. Тогда я еще не знал войны, мы дислоцировались на более спокойных участках. Сейчас я замечаю, что как-то неуловимо для себя сильно вымотался. Я больше не нахожу здесь для себя места, это чужой мир. Одни расспрашивают, другие нет, и по ним видно, что они этим гордятся; часто они вдобавок даже с понимающей миной роняют, что говорить об этом невозможно. Думают, тут есть чем кичиться.

Я предпочитаю быть один, тогда никто меня не донимает. Ведь в конечном счете все постоянно возвращаются к тому, как плохи дела и как они хороши, один считает так, другой этак, и всегда они быстро переходят к вещам, составляющим их житье-бытье. Раньше я наверняка жил точно так же, но больше не нахожу связующих нитей.

По-моему, они чересчур много говорят. Их заботы, цели, желания я не могу воспринимать так, как они сами. Иной раз сижу с кем-нибудь из них в трактирном садике и пытаюсь растолковать ему, что, собственно, вот так спокойно сидеть — это уже всё. Они, конечно, понимают, соглашаются, тоже так считают, но лишь на словах, лишь на словах, в том-то и дело, — они это чувствуют, но всегда только наполовину, вторая половина занята другими вещами, так у них распределено, никто не ощущает этого всем своим существом; да я и сам толком не могу сказать, что́ имею в виду.

Когда я вижу их в их комнатах, в их конторах, на их службе, меня неодолимо тянет туда, мне тоже хочется быть там и забыть войну, но в следующую же секунду все это снова меня отталкивает, такая узость, да может ли это заполнить жизнь, его надо бы истребить, как такое возможно, когда на фронте сейчас свистят над воронками осколки и взлетают осветительные ракеты, тащат на волокушах раненых подальше от передовой, а товарищи вжимаются в окопы!.. Здесь люди другие, я их по-настоящему не понимаю, завидую им и презираю. Невольно я думаю о Каче, об Альберте, о Мюллере и Тьядене — интересно, что они делают? Вероятно, сидят в столовой или плавают — скоро опять на фронт.

Позади стола в моей комнате стоит коричневый кожаный диванчик. Я сажусь на него.

К стенам пришпилено кнопками множество картинок, которые я раньше вырезал из журналов. Кое-где понравившиеся открытки и рисунки. В углу — железная печурка. У стены напротив — шкаф с моими книгами.

В этой комнате я жил, пока не ушел в солдаты. Книги потихоньку покупал на деньги, заработанные уроками. Среди них много букинистических, к примеру все классики, томик стоил марку и двадцать пфеннигов, твердые переплеты из голубого коленкора. Я покупал полные собрания, так как подходил к делу основательно, избранные произведения вызывали у меня недоверие: а действительно ли составители отобрали самое лучшее? Вот я и покупал полные собрания сочинений. И читал их с искренней увлеченностью, но в большинстве они не очень мне нравились. Зато я очень любил другие книги, более современные и, понятно, много более дорогие. Некоторые я добыл не вполне честным путем, взял почитать и не вернул, не хотел с ними расставаться.

Одна из полок заставлена школьными учебниками. Они не ведали бережного обращения, зачитаны и изрядно растрепаны, иные страницы вырваны — известно для чего. Внизу — стопки тетрадок, бумаги и письма, рисунки и наброски.

Мне хочется мысленно перенестись в то время. Оно ведь по-прежнему в комнате, я сразу чувствую, стены сберегли его. Мои руки лежат на спинке диванчика, теперь я устраиваюсь поудобнее, подбираю ноги на сиденье, уютно сижу в уголке, в объятиях дивана. Окошко открыто, за ним знакомая улица с высокой церковной башней в конце. На столе букетик цветов. Ручки, карандаши, раковина-пресс-папье, чернильница — здесь все без перемен.

Точно так же будет, если мне повезет, война закончится и я вернусь навсегда. Я буду вновь сидеть здесь, разглядывать свою комнату и ждать.

Я разволновался, и совершенно зря, ведь это неправильно. Мне хочется вернуть спокойную увлеченность, ощутить то сильное, неизъяснимое притяжение, с каким я раньше подходил к своим книгам. Пусть ветер желаний, веявший от разноцветных корешков, снова охватит меня, пусть растопит тяжелую, мертвую свинцовую глыбу где-то во мне и снова разбудит нетерпеливое предвкушение грядущего, крылатую радость перед миром мыслей, пусть возвратит потерянную готовность моей юности.

Я сижу и жду.

На ум приходит, что надо пойти к матери Кеммериха... можно бы навестить и Миттельштедта, он, наверно, в казарме. Смотрю в окно: за солнечной улицей, размытая и легкая, виднеется гряда холмов, которая вдруг оборачивается ясным осенним днем, когда я вместе с Качем и Альбертом сижу у костра, уплетая из миски печеную картошку.

Но об этом я думать не хочу, отмахиваюсь от картины. Пусть говорит комната, пусть обнимет меня и унесет, мне хочется чувствовать себя частью этого места, хочется прислушаться, чтобы, уезжая на фронт, знать: война канет на дно и утонет, когда нахлынет волна возвращения, война минует, она не разъест нас, ее власть над нами чисто внешняя!

Корешки книг стоят подле друг друга. Они еще мне знакомы, я помню, как расставлял их по порядку. Взглядом прошу их: поговорите со мной... Примите меня... прими меня, прежняя жизнь... беззаботная, прекрасная... снова прими меня...

Я жду, жду.

Образы плывут мимо, не задерживаются, это лишь тени и воспоминания.

Ничего... ничего.

Тревога нарастает.

Страшное ощущение чуждости вдруг поднимается во мне. Я не могу вернуться, я изгой; как ни прошу, как ни напрягаюсь, ничто даже не шевельнется, я безучастно и печально сижу, точно приговоренный, а прошлое отворачивается. Одновременно мне страшно призывать его слишком настойчиво, ведь я не знаю, что́ тогда может случиться. Я солдат, вот за это и надо держаться.

Устало встаю, выглядываю в окно. Потом беру одну из книг, листаю, собираясь почитать. Но откладываю, беру другую. Некоторые абзацы там подчеркнуты. Я ищу, листаю, беру все новые книги. Передо мной уже целая стопка. Поспешно достаю еще и еще — листы, тетради, письма.

Молча стою перед ними. Как перед судом. В полном унынии.

Слова, слова, слова — они до меня не доходят.

Медленно ставлю книги на прежние места.

Кончено.

Тихо выхожу из комнаты.

* * *

Я еще не сдаюсь. В свою комнату, правда, больше не захожу, но утешаюсь тем, что несколько дней вовсе не обязательно конец. После — позднее — у меня будут на это годы времени. Ну а пока иду в казарму к Миттельштедту, и мы сидим у него в комнате, тамошнюю атмосферу я не люблю, но привык к ней.

У Миттельштедта наготове новость, которая мгновенно поднимает мне настроение. Он рассказывает, что Канторека призвали в ополчение.

— Представляешь, — говорит он, доставая несколько хороших сигар, — приезжаю из лазарета сюда и сразу же сталкиваюсь с ним. Он протягивает мне лапу и квакает: «Ба, Миттельштедт, как дела?» Я с удивлением смотрю на него и отвечаю: «Ополченец Канторек, дружба дружбой, а служба службой, вам ли не знать. Извольте стать по стойке «смирно», когда обращаетесь к старшему по званию».

Видел бы ты его физиономию! Помесь маринованного огурца и неразорвавшегося снаряда. Не очень уверенно он еще раз попробовал взять панибратский тон. Я прикрикнул порезче. Тут он задействовал свою мощнейшую батарею и доверительно осведомился: «Не помочь ли вам со сдачей досрочного экзамена?» Напомнить вздумал, понимаешь. Я рассвирепел и тоже напомнил: «Ополченец Канторек, два года назад вы своими проповедями привели нас в окружное военное управление, в том числе и Йозефа Бема, который вообще-то добровольцем идти не хотел. Он погиб за три месяца до срочного призыва. Без вас он бы дождался этого срока. А теперь идите. Мы еще поговорим». Мне не составило труда обеспечить себе командование его ротой. Первым делом я сводил его на вещевой склад и позаботился насчет хорошенькой экипировки. Сейчас сам увидишь.

Мы выходим во двор. Рота построена. Миттельштедт командует «вольно» и обозревает шеренги.

Тут я замечаю Канторека и едва сдерживаю смех. На нем что-то вроде долгополого кителя, некогда синего, а теперь выцветшего. На спине и на рукавах большие темные заплаты. Принадлежал этот китель явно человеку богатырской стати. Зато обтрепанные черные брюки непомерно коротки, до середины икры. А вот обувка весьма просторная — негнущиеся допотопные чеботы, мыски торчат кверху, шнуровка по бокам. Чтобы не нарушать пропорции, головной убор опять же слишком маленький — до ужаса замызганная жалкая шапчонка без козырька. В общем, без слез не взглянешь.

Миттельштедт останавливается перед ним.

— Ополченец Канторек, по-вашему, это называется надраить пуговицы? Как видно, вы никогда не научитесь. Неудовлетворительно, Канторек, неудовлетворительно...

В душе я хохочу от удовольствия. Точно так же Канторек в школе пенял Миттельштедту, именно таким тоном: «Неудовлетворительно, Миттельштедт, неудовлетворительно...»

А Миттельштедт продолжает:

— Посмотрите на Бёттхера, вот вам образец, учитесь у него.

Я просто глазам своим не верю. И Бёттхер здесь, наш школьный швейцар. И он — образец! Канторек мечет на меня такой взгляд, словно готов сожрать. Но я лишь безмятежно ухмыляюсь ему в физиономию, будто едва с ним знаком.

До чего же идиотский у него вид в этой шапчонке и форме! И такого замухрышку мы раньше боялись как огня, когда он восседал на кафедре и высмеивал нашего брата, подлавливая на неправильных французских глаголах, от которых потом во Франции не было ни малейшего проку. С тех пор минуло без малого два года... и теперь ополченец Канторек, разом утративший все свои чары, стоит здесь, кривоногий, руки дугой, словно ручки от кастрюли, с плохо надраенными пуговицами и никудышной выправкой — не солдат, а посмешище. Для меня он уже никак не вяжется с грозной фигурой на кафедре, и мне вправду очень бы хотелось знать, что я буду делать, когда это ничтожество однажды опять получит право спросить меня, старого солдата: «Боймер, назовите мне форму imparfait от aller...»

Для начала Миттельштедт приказывает отрабатывать рассыпание цепью. Канторека он благосклонно назначает отделенным.

Тут есть особенная закавыка. При рассыпании цепью отделенный должен все время находиться на двадцать шагов впереди своего отделения; когда же дают команду «Кругом, марш!», цепь только поворачивается кругом, а вот отделенный, который вдруг оказывается в двадцати шагах позади цепи, должен галопом мчаться вперед, чтобы снова быть на двадцать шагов впереди. В общей сложности сорок шагов — бегом, марш! Но едва он занимает свое место, опять «Кругом, марш!», и ему опять надо спешно одолеть сорок шагов в другую сторону. Таким манером отделение каждый раз спокойненько делает поворот кругом и несколько шагов, а отделенный меж тем мечется как чумовой туда-сюда. Все это один из многих испытанных рецептов Химмельштоса.

Ничего другого Канторек ожидать от Миттельштедта не может, ведь однажды сумел оставить его без повышения по службе, и Миттельштедт был бы дураком, если б перед возвращением на фронт не воспользовался удачной возможностью отыграться. Все-таки, наверно, легче умирать, если армия разок предоставила тебе и такой вот шанс.

Тем временем Канторек мечется туда-сюда как перепуганный кабан. Немного погодя Миттельштедт командует отбой, а затем начинается тренировка другого важного военного приема — переползания. На коленях и локтях, с винтовкой, как положено по уставу, Канторек волочет по песку свою великолепную фигуру, вплотную рядом с нами. Он шумно пыхтит, и его пыхтение звучит для нас музыкой.

Миттельштедт ободряет его, поднимает дух ополченца Канторека цитатами из старшего учителя Канторека:

— Ополченец Канторек, нам выпало счастье жить в великое время, и все мы, собравшись с силами, должны преодолеть и тяжкие испытания.

Канторек выплевывает грязную щепку, угодившую ему в зубы, он весь в поту. Миттельштедт наклоняется и проникновенно произносит:

— И за пустяковыми мелочами никогда нельзя забывать о великом свершении, ополченец Канторек!

Я диву даюсь, что Канторека еще не разнесло с треском на куски, в особенности потому, что дальше следует урок гимнастики, в ходе которого Миттельштедт превосходно его копирует: когда Канторек подтягивается на турнике, Миттельштедт хватает его сзади за штаны, чтобы он сумел молодцевато поднять подбородок над перекладиной, и при этом так и сыплет мудрыми словесами. В точности то же самое Канторек, бывало, проделывал с ним.

Затем очередной наряд:

— Канторек и Бёттхер — за хлебом! Возьмите тачку!

Через несколько минут парочка с тачкой отправляется в дорогу. Взбешенный Канторек не поднимает головы. Швейцар гордится, что получил легкий наряд.

Хлебозавод расположен на другом конце города. Стало быть, им придется дважды прошагать через весь город, туда и обратно.

— Они ходят за хлебом уже который день, — ухмыляется Миттельштедт. — Кое-кто теперь специально их поджидает.

— Замечательно, — говорю я, — он что же, еще не нажаловался?

— Пробовал! Наш командир жутко хохотал, когда услышал эту историю. Он этих школьных педантов на дух не терпит. Вдобавок я приударил за его дочкой.

— Он тебе напортит с экзаменом.

— Плевать, — спокойно роняет Миттельштедт. — Да и жаловался он напрасно, я ведь сумел доказать, что в основном назначаю ему легкие наряды.

— Ты бы погонял его разок в хвост и в гриву, а? — говорю я.

— Охота была с придурком связываться, — отвечает Миттельштедт, благородно и великодушно.

Что такое отпуск?.. Временное отклонение, из-за которого потом все становится намного тяжелее. Уже теперь примешивается разлука. Мама молча смотрит на меня, она считает дни, я знаю... и каждое утро она печальна. Опять на день меньше. Ранец мой она убрала, ей не нужно лишнее напоминание.

Когда размышляешь, часы бегут быстро. Я собираюсь с силами и вместе с сестрой иду на бойню — может, раздобудем фунт-другой костей. Это большое подспорье, и народ уже с утра стоит в очереди. Иные падают в обморок.

Нам не везет. Сменяя друг друга, мы отстояли три часа, и тут люди расходятся. Костей больше нет.

Хорошо, что я получаю довольствие. Приношу маме, и таким образом мы питаемся чуть получше.

Дни все тягостнее, мамины глаза все печальнее. Еще четыре дня. Надо идти к матери Кеммериха.

Писать об этом невозможно. Дрожащая женщина, рыдая, трясет меня и кричит:

— Почему ты жив, раз он умер?! — Она заливает меня слезами, восклицает: — Почему вы вообще там, вы же дети!.. — Падает в кресло, всхлипывает: — Ты видел его? Видел? Как он умер?

Я говорю ей, что пуля попала ему в сердце и умер он мгновенно. Она смотрит на меня, сомневается:

— Ты лжешь. Я лучше знаю. Я чувствовала, как тяжело он умирал. Слышала его голос, чувствовала ночью его страх... скажи правду, я хочу знать, я должна знать.

— Нет, — говорю я, — я был с ним рядом. Он умер мгновенно.

Она тихо просит:

— Скажи мне. Ты должен. Я знаю, ты хочешь меня утешить, но разве не видишь, что ложью мучаешь меня еще сильнее? Неизвестность невыносима, скажи, как все было, пусть даже было ужасно. Все равно так лучше, чем терзаться домыслами.

Никогда не скажу, хоть изрежь меня на куски. Я ей сочувствую, но в то же время она кажется мне глуповатой. Ей надо успокоиться; знает она, нет ли, Кеммерих не воскреснет. Когда видел так много мертвецов, столько боли из-за одного-единственного уже толком понять не можешь. И я слегка нетерпеливо говорю:

— Он умер мгновенно. Даже почувствовать ничего не успел. Лицо было совершенно спокойное.

Она молчит. Потом медленно спрашивает:

— Можешь поклясться?

— Да.

— Всем, что тебе свято?

О Господи, а что мне свято? Ведь такое у нас меняется быстро.

— Да, он умер мгновенно.

— Ты даже готов не вернуться, если сказал неправду?

— Чтоб я не вернулся, если он не умер мгновенно.

Я бы взял на себя бог весть что еще. Но, кажется, она верит. Стонет и долго плачет. Просит рассказать, как это было, и я придумываю историю, в которую теперь и сам почти верю.

Когда я ухожу, она целует меня и дарит мне его фото. На снимке он в форме новобранца стоит, опершись на круглый стол, ножки которого сделаны из неошкуренных березовых сучьев. За спиной — кулиса с нарисованным лесом. На столе — пивная кружка.

Последний вечер дома. Все молчаливы. Я рано ухожу спать, ощупываю подушки, прижимаю к себе, зарываюсь в них головой. Кто знает, доведется ли мне снова лежать в перинах!

В поздний час мама заходит ко мне в комнату. Думает, я сплю, и я притворяюсь спящим. Разговаривать, бодрствовать вдвоем слишком тягостно.

Она сидит почти до утра, хотя порой корчится от мучительной боли. В конце концов я не выдерживаю, делаю вид, что просыпаюсь.

— Иди спать, мама, ты здесь простудишься.

Она говорит:

— Позже хватит времени отоспаться.

Я приподнимаюсь.

— Я ведь не сразу на фронт, мама. Сперва четыре недели пробуду в учебном лагере. А оттуда, может, сумею приехать как-нибудь в воскресенье.

Она молчит. Потом тихо спрашивает:

— Тебе очень страшно?

— Нет, мама.

— Хотела вот что тебе сказать: ты остерегайся женщин во Франции. Они там дурные.

Ах, мама, мама! Для тебя я ребенок — почему я не могу положить голову тебе на колени и поплакать? Почему я все время должен быть сильным и сдержанным, мне ведь тоже хочется разок поплакать и получить утешение, я ведь вправду почти ребенок, в шкафу еще висят мои короткие мальчишечьи штаны, — с той поры прошло так мало времени, почему все это миновало?

Как можно спокойнее я говорю:

— Там, где мы стоим, женщин нет, мама.

— И будь поосторожней там, на фронте, Пауль.

Ах, мама, мама! Почему я не обниму тебя и не умру вместе с тобой? Какие мы все ж таки горемыки!

— Да, мама, обязательно.

— Я буду каждый день молиться за тебя, Пауль.

Ах, мама, мама! Давай встанем и уйдем, назад сквозь годы, пока вся эта беда не свалится с наших плеч, назад, только к тебе и ко мне, мама!

— Может, сумеешь получить должность, где не так опасно.

— Да, мама, может быть, попаду на кухню, вполне может быть.

— Соглашайся, что бы другие ни говорили...

— До этого мне вообще нет дела, мама...

Она вздыхает. Ее лицо — белый отсвет в темноте.

— Теперь тебе надо лечь и поспать, мама.

Она не отвечает. Я встаю, укрываю ее плечи одеялом. Она опирается на мою руку, ее мучает боль. Я отношу ее в постель. Ненадолго задерживаюсь рядом.

— Ты должна выздороветь, мама, к моему возвращению.

— Да-да, дитя мое.

— И не присылайте мне съестное, мама. У нас там еды достаточно. Вам все это нужнее.

Какая несчастная она лежит в постели, она, что любит меня, любит больше всего на свете. Когда я собираюсь уходить, она торопливо говорит:

— Я достала для тебя еще две пары кальсон. Хорошие, шерстяные. Не дадут замерзнуть. Смотри не забудь взять их с собой.

Ах, мама, я знаю, сколько стояния в очередях, хождений и выпрашиваний стоили тебе эти кальсоны! Ах, мама, мама, уму непостижимо, что я должен уйти от тебя, ведь кто еще имеет право на меня, как не ты. Пока что я сижу здесь, а ты лежишь там, нам нужно так много сказать друг другу, но мы не сумеем.

— Покойной ночи, мама.

— Покойной ночи, дитя мое.

В комнате темно. Слышно, как дышит мама. Тикают часы. За окнами ветер. Каштаны шумят.

В передней я спотыкаюсь о ранец, он стоит уложенный, так как утром я ухожу очень рано.

Я кусаю подушки, судорожно сжимаю железные прутья кровати. Не стоило мне сюда приезжать. На фронте я был равнодушен и часто без надежды, но уже не смогу быть таким. Я был солдатом, а теперь я лишь боль о себе, о матери, обо всем, что так безотрадно и бесконечно. Не стоило мне вообще ехать в отпуск.

VIII

Эти бараки на учебном полигоне я еще хорошо помню. Здесь Химмельштос воспитывал Тьядена. А вот знакомых почти никого; все поменялись, как обычно. Лишь очень немногих я мельком видел раньше.

Служебные обязанности я исполняю механически. Вечера почти всегда провожу в солдатском клубе, там разложены журналы, но я их не читаю; однако есть и фортепиано, на котором с удовольствием играю. Обслуга — две девицы, одна молоденькая.

Лагерь обнесен высоким проволочным забором. Если засидишься в солдатском клубе допоздна, надо иметь пропуск. Тот, кто находит общий язык с часовым, конечно, проскользнет и так.

Среди можжевеловых кустов и березовых рощ на степном полигоне изо дня в день проходят ротные строевые занятия. Вполне сносно, если не требуют большего. Бежишь вперед, бросаешься наземь, и травинки и цветы на пустоши колышутся от дыхания. Светлый песок, когда видишь его так близко, чист, как в лаборатории, и состоит из множества крохотных камешков. Странно, так и тянет зарыться в него рукой.

Но самое красивое — рощи с березовыми опушками. Каждый миг они меняют цвет. Вот сейчас стволы светятся ярчайшей белизной, а пастельная зелень листвы парит меж ними шелковистая, невесомая; секунда — и все оборачивается опаловой голубизной, которая серебром наплывает с краю и стирает зелень, но тотчас же местами густеет до черноты, когда солнце скрывается за тучкой. Эта тень, словно призрак, скользит среди тусклых теперь стволов и дальше по степи к горизонту; теперь березы уже в ало-золотом пламени осенней листвы, стоят будто праздничные знамена на белых флагштоках.

Я часто впадаю в задумчивость, глядя на эту игру нежнейшего света и прозрачных теней, так что порой почти не слышу команд, — когда ты один, начинаешь наблюдать природу и любить ее. Знакомых у меня здесь немного, да я и не стремлюсь заводить их больше обычного. Мы слишком мало знаем один другого, чтобы общение выходило за рамки заурядной болтовни, а вечером партии в двадцать одно или в иную азартную игру.

Возле наших бараков расположен большой

лагерь русских. Хотя он отделен от нас проволочным забором, пленные все же умудряются пробираться к нам. Держатся они очень робко и опасливо, при том что большинство бородатые, рослые и потому смахивают на побитых сенбернаров.

Они бродят вокруг наших бараков, роются в бочках с отбросами. Можно себе представить, что́ они там находят. Харчи у нас скудные, а в первую очередь плохие, кормят брюквой, порезанной на шесть кусков и сваренной в воде, морковными кочерыжками, грязными, непромытыми; подгнившая картошка — уже лакомое блюдо, а вовсе деликатес — жиденький рисовый суп, где якобы плавают мелко порубленные волоконца жилистой говядины. Только вот порублены они так мелко, что не отыщешь.

Однако все, конечно же, съедается подчистую. Если иной раз какому-нибудь «богачу» незачем подметать казенную жратву, мигом находятся десять человек, готовых с радостью взять его порцию. Лишь остатки, которые уже и ложкой не подберешь, выполаскивают и выплескивают в бочки с отбросами. Изредка туда попадают брюквенные очистки, плесневелые корки хлеба и прочая дрянь.

Вот эта водянистая, мутная, грязная жижа и есть желанная цель для пленных. Они жадно черпают ее из вонючих бочек и уносят, спрятав под гимнастерками.

Странно видеть этих наших врагов совсем близко. Их лица наводят на размышления — добрые крестьянские лица, широкие лбы, широкие носы и губы, широкие руки, густые курчавые волосы. Им самое место за плугом, у молотилки, на сборе яблок. Выглядят они даже добродушнее наших фрисландских крестьян.

Грустно видеть, как они двигаются, как клянчат хоть что-нибудь съестное. Все они заметно ослабели, ведь еды им дают ровно столько, чтобы они не умерли с голоду. Мы и сами давным-давно не едим досыта. У них дизентерия, со страхом в глазах некоторые украдкой показывают окровавленные подолы рубах. Спины и шеи сгорблены, колени подгибаются, смотрят они снизу, искоса, когда протягивают ладонь, произносят немногие заученные слова и попрошайничают — попрошайничают мягким негромким басом, напоминающим о теплых печках и домашних горницах.

Есть среди нас такие, что пинком валят пленных с ног, но их считаные единицы. Большинство их не трогает, проходит мимо. Подчас, как раз когда они очень уж жалкие, закипаешь злостью, вот и даешь пинка. Только бы они не смотрели так — сколько же горя способно скопиться в двух маленьких пятнышках, которые можно прикрыть большим пальцем, — в глазах.

Вечерами они приходят в бараки, торгуют. Выменивают на хлеб все, что имеют. Иногда успешно, потому что у них сапоги хорошие, а у нас — плохие. Кожа их высоких сапог удивительно мягкая, как юфть. Крестьянские сыновья из наших, которым из дому присылают жиры и колбасу, могут позволить себе подобный обмен. Пара сапог обходится примерно в две-три буханки хлеба или в буханку хлеба и небольшой батон копченой колбасы.

Впрочем, почти все русские давным-давно отдали то, что имели. Ходят оборванные и пытаются выменивать мелкие резные фигурки и вещицы, сделанные из снарядных осколков и обломков медных поясков. Доход от них, понятно, невелик, хотя труд приложен немалый, — взамен дают всего-навсего ломоть-другой хлеба. Наши крестьяне большие хитрецы и понаторели в торговле. Держат у русского перед носом кусок хлеба или колбасы, пока он не побелеет от жадности и не закатит глаза, а тогда уж ему все едино. Они же со всей обстоятельностью, на какую способны, завертывают и прячут добычу, достают большой складной нож, медленно, степенно отрезают себе в награду ломоть хлеба из собственных припасов и уминают его, закусывая вкусной копчсной колбасой. Смотришь, как они вечеряют, и чувствуешь раздражение, так бы и треснул по дубовой башке. Они редко с кем-нибудь делятся. Да ведь и знают все друг друга слишком мало.

Я часто стою в карауле у русских. Их фигуры в темноте похожи на хворых аистов, на большущих птиц. Они подходят вплотную к забору, прислоняются к нему лицом, цепляются пальцами за сетку. Нередко стоят там длинной цепочкой. Дышат ветром, прилетающим с пустоши и из рощ.

Говорят они редко, да и тогда немногословны. Друг к другу относятся человечнее и, как мне кажется, более по-братски, чем мы здесь. Хотя, возможно, лишь потому, что чувствуют себя несчастнее нас. А ведь для них война кончилась. Впрочем, дожидаться дизентерии тоже не жизнь.

Ополченцы, которые их охраняют, рассказывают, что на первых порах они были побойчее. Между ними, как всегда случается, завязывались интрижки, и нередко доходило до драк и поножовщины. Теперь они уже совсем отупевшие и безразличные, в большинстве даже онанировать перестали, до того ослабли, хотя обычно с этим делом обстоит препаршиво — целые бараки предаются рукоблудию.

Они стоят у забора, порой кто-нибудь бредет прочь, но его место пустует недолго. Почти все молчат; лишь немногие клянчат окурок сигареты.

Я вижу их темные фигуры. Бороды развеваются на ветру. Мне ничего о них не известно, я знаю только, что они пленные, и именно это меня потрясает. Их жизнь безымянна и без вины; знай я о них больше — как их зовут, как они живут, чего ожидают, что их гнетет, — мое потрясение набрало бы определенности и могло обернуться состраданием. А так я угадываю лишь боль унижения, ужасающую тоскливость жизни и людскую жестокость.

Приказ сделал эти тихие фигуры нашими врагами; приказ мог бы превратить их и в друзей. Где-то за столом несколько человек, которых ни один из нас знать не знает, подписывают некий документ, и на годы наша главная цель — то, что весь мир обыкновенно считает презренным и заслуживающим наивысшей кары. Кто сможет провести различие, глядя здесь на этих молчаливых людей с детскими лицами и апостольскими бородами! Любой унтер-офицер куда более лютый враг новобранцу, а любой старший учитель — ученику, чем они нам. И все же, будь они свободны, мы бы снова стреляли по ним, а они по нам.

Я пугаюсь; продолжать такие размышления нельзя. Этот путь ведет в бездну. Еще не время, но я не хочу потерять эту мысль, хочу сохранить ее, отложить впрок до конца войны. Сердце бьется учащенно: не здесь ли та цель, то великое, уникальное, о чем я думал в окопах, искал как возможность существования после краха всей и всяческой человечности, не это ли задача для последующей жизни, стоящая многолетнего кошмара?

Достаю сигареты, разламываю каждую пополам, раздаю русским. Они кланяются, закуривают. Теперь на иных лицах светятся красные точки. Они успокаивают меня, с виду — словно оконца темных деревенских домишек, за которыми угадываются комнаты, полные приютного тепла.

Дни идут. Туманным утром опять хоронят одного из русских, теперь там почти ежедневно кто-нибудь умирает. Я как раз в карауле, когда его хоронят. Пленные поют свой хорал, поют на несколько голосов, и кажется, будто звучат вовсе не голоса, а орга́н, стоящий далеко на пустоши.

Погребение проходит быстро.

Вечером они опять у забора, и ветер летит к ним из березовых рощ. Звезды дышат холодом.

Я теперь знаю кой-кого из пленных, вполне сносно владеющих немецким. Среди них есть один музыкант, он рассказывает, что был скрипачом в Берлине. Услышав, что я немного играю на фортепиано, он приносит скрипку, играет. Остальные садятся, прислонясь спиной к забору. Он стоит и играет, часто его лицо принимает отрешенное выражение, какое бывает у скрипачей, когда они закрывают глаза, потом инструмент опять ритмично движется в его руках, а он улыбается мне.

Наверно, играет он народные песни, потому что другие тихонько подпевают. Темные холмики, из глубин которых доносится тихая мелодия. Напев скрипки над ними, точно стройная девушка, звонкий и одинокий. Голоса умолкают, а скрипка остается... в ночи она тоненькая, слабая, будто озябшая, приходится стать совсем рядом; в помещении, наверно, было бы лучше, но здесь, под открытым небом, ее одинокое блуждание наводит грусть.

Увольнительной на воскресенье мне не дают, ведь я только что из продолжительного отпуска. Поэтому в последнее воскресенье перед отъездом на фронт меня навещают отец и старшая сестра. Весь день мы сидим в солдатском клубе. Больше деваться некуда, не в барак же идти. В середине дня прогуливаемся в пустоши.

Часы тянутся мучительно, мы не знаем, о чем говорить. Вот и говорим о болезни мамы. У нее действительно рак, она уже в больнице, скоро операция. Врачи надеются на выздоровление, но мы никогда еще не слыхали, чтобы рак вылечили.

— Где она лежит? — спрашиваю я.

— В больнице Святой Луизы, — отвечает отец.

— В каком разряде?

— В третьем. Надо подождать, в какую сумму обойдется операция. Она сама решила лечь в третий. Сказала, что по крайней мере там будет компания. Да это и дешевле.

— Значит, в палате еще куча народу. Только бы она могла поспать ночью.

Отец кивает. Лицо у него усталое, сплошь в морщинах. Мама часто хворала; и хотя в больницу обращалась лишь в самом крайнем случае, это все равно стоило нам больших денег, и отец, собственно говоря, всю жизнь так и истратил.

— Если б знать, сколько стоит операция, — говорит он.

— А вы не спрашивали?

— Прямо не спрашивали, нельзя... вдруг доктор осерчает, а ему ведь оперировать маму, не-ет, так нельзя.

Да, с горечью думаю я, вот такие мы, вот такие они, бедные люди. Не смеют спросить, сколько стоит операция, скорее уж будут изнывать от неизвестности; однако же другие, для кого это не имеет значения, считают, что заранее выяснить стоимость в порядке вещей. И сердиться на них доктор не станет.

— Перевязки после операции тоже дорогущие, — говорит отец.

— Разве больничная касса ничего не доплачивает? — спрашиваю я.

— Мама хворает уже слишком долго.

— У вас есть хоть немного денег?

Он качает головой:

— Нет. Но теперь я опять смогу работать сверхурочно.

Я знаю: он будет до полуночи стоять у своего стола, фальцевать, клеить, обрезать. В восемь вечера поужинает скверной едой, которую выдают по карточкам и от которой сил не прибавится. Потом примет порошок от головной боли и опять за работу.

Чтобы немножко развеселить его, я рассказываю несколько историй, первых попавшихся, что приходят на ум, солдатские байки и все такое прочее, про генералов и фельдфебелей, которых однажды обвели вокруг пальца.

Потом я провожаю их на станцию. Они вручают мне баночку варенья и пакет с картофельными оладьями, которые еще успела напечь для меня мама.

Отец с сестрой уезжают, а я возвращаюсь в казарму.

Вечером я намазываю оладьи вареньем, ем. Невкусно. Ладно, пойду отдам оладьи русским. Но тут я вспоминаю, что оладьи пекла мама, своими руками, и, наверно, мучилась от боли, стоя у горячей плиты. Сую пакет в ранец, для русских беру только две штуки.

IX

Несколько дней в поездах. В небе появляются первые самолеты. Минуем воинские эшелоны. Орудия, орудия... Вот и полевая железная дорога. Я ищу свой полк. Никто не знает, где он сейчас. Я где-то ночую, где-то получаю утром провиант и кой-какие туманные инструкции. И снова в путь, с ранцем и винтовкой.

Добравшись до места, вижу, что в разбитом снарядами поселке никого из наших уже нет. Слышу, что мы стали летучей дивизией, которую задействуют всюду, где ситуация принимает щекотливый оборот. К веселью это отнюдь не располагает. Мне сообщают о якобы понесенных нами серьезных потерях. Я расспрашиваю про Кача и Альберта. Но о них никто ничего не знает.

Продолжаю искать, блуждаю без всякого толку — странное ощущение. Еще дважды ночую как индеец. Потом наконец получаю точные сведения и во второй половине дня являюсь в канцелярию.

Фельдфебель там меня и оставляет. Рота вернется через два дня, так что отправлять меня к ним нет смысла.

— Как отпуск? — спрашивает он. — Хорошо, поди?

— Серединка на половинку, — отвечаю.

— Н-да, — вздыхает он, — если б не уезжать обратно на фронт. Вторая половина из-за этого всегда насмарку.

Я слоняюсь без дела, пока утром не возвращается рота, серая, грязная, злая, хмурая. Тут я вскакиваю, проталкиваюсь среди них, глазами ищу — вон Тьяден, вон сопит Мюллер, а вон и Кач с Альбертом. Мы кладем свои тюфяки рядом. Глядя на товарищей, я чувствую себя виноватым, хотя причин для этого нет. Перед сном достаю остатки картофельных оладий и варенья, чтобы и им немножко досталось.

Верхняя и нижняя оладьи слегка заплесневели, но есть можно. Их я беру себе, а те, что посвежее, отдаю Качу и Кроппу.

Кач жует, спрашивает:

— Материны небось?

Я киваю.

— Хорошо, — говорит он, — сразу на вкус чувствуется.

Я чуть не плачу. Сам себя не узнаю. Ну да

ничего, теперь все наладится, вместе с Качем, Альбертом и остальными. Я на своем месте.

— Повезло тебе, — шепчет Кропп, когда мы уже засыпаем, — говорят, нас пошлют в Россию.

В Россию. А ведь там войны уже нет.

Вдали грохочет фронт. Стены бараков дребезжат.

* * *

Грандиозный аврал, всюду наводят марафет. Нас то и дело гоняют на построение. Осматривают со всех сторон. Рваное обмундирование заменяют вполне приличными вещами. Мне при этом достается безупречная новая куртка, а Качу, разумеется, полный комплект. Проходит слух насчет замирения, но вероятнее другое: переброска в Россию. Хотя зачем нам в России приличная форма? В конце концов все-таки выясняется: сюда едет кайзер, будет войсковой смотр. Вот почему столько проверок.

Можно подумать, находишься в казармах для новобранцев — восемь дней кряду сплошь работа да строевая подготовка. Поголовно все злые, нервные, ведь нам непомерная драйка без надобности, а уж парадная шагистика тем более. Как раз подобные вещи злят солдата сильнее, чем окопы.

Наконец свершилось. Мы стоим навытяжку, появляется кайзер. Нам любопытно, каков он с виду. Он шагает вдоль строя, и вообще-то я слегка разочарован: по портретам я представлял его себе выше ростом и внушительнее, а в первую очередь думал, что голос у него громовой.

Он раздает Железные кресты, говорит несколько слов то одному, то другому. Потом мы уходим.

Позднее мы все это обсуждаем. Тьяден удивляется:

— Он же самый-самый главный, главнее никого нет. Перед ним ведь каждый должен стоять навытяжку, вообще каждый! — Он умолкает и, пораскинув мозгами, продолжает: — Даже Гинденбург и тот должен стоять навытяжку, так?

— Верно, — подтверждает Кач.

Тьяден пока что не закончил. Еще некоторое время размышляет, затем спрашивает:

— А король тоже должен стоять перед кайзером навытяжку?

В точности никто не знает, хотя скорее всего нет, так мы считаем. Они оба уже на такой высоте, где по-настоящему навытяжку не стоят.

— Далась тебе вся эта чепуха, — говорит Кач. — Главное, ты сам стоишь навытяжку.

Но Тьяден совершенно заворожен. Его обычно сухая фантазия работает в хвост и в гриву.

— Ты прикинь, — провозглашает он, — у меня просто в голове не укладывается, неужто кайзер ходит в нужник, как я?

— В этом можешь не сомневаться, — смеется Кропп.

— Ну ты даешь, — добавляет Кач, — у тебя тараканы в башке, Тьяден, живо дуй в нужник, прочисти мозги и не рассуждай как младенец.

Тьяден исчезает.

— А мне, — говорит Альберт, — все ж таки хотелось бы знать: началась бы война, если б кайзер сказал «нет»?

— Да наверняка, — вставляю я, — говорят, сперва-то он и правда не хотел.

— Ну, если б не он один, а еще человек двадцать-тридцать на свете сказали «нет», то, может, и не началась бы.

— Пожалуй, — соглашаюсь я, — но они-то как раз не возражали.

— Странно, если вдуматься, — продолжает Кропп, — мы здесь для того, чтобы защищать свою родину. Но ведь и французы здесь опять же для того, чтобы защищать свою. И кто прав?

— Может, те и другие, — говорю я и сам себе не верю.

— Допустим, — говорит Альберт,

и я вижу, что он намерен загнать меня в угол, — но наши профессора, и духовенство, и газеты твердят, что правы только мы, и надеюсь, так оно и есть... Однако французские профессора, и духовенство, и газеты твердят, что правы только они... С этим-то как быть?

— Не знаю, — говорю я, — так или иначе война идет, и каждый месяц в нее вступают все новые страны.

Возвращается Тьяден. Он по-прежнему взбудоражен и немедля опять встревает в разговор, интересуется, как вообще возникает война.

— Большей частью из-за того, что одна страна наносит другой тяжкую обиду, — отвечает Альберт с некоторым высокомерием.

Однако Тьяден вроде как и не замечает:

— Страна? Что-то я не пойму. Гора в Германии никак не может обидеть гору во Франции. И река не может, и лес, и пшеничное поле.

— Ты вправду осел или прикидываешься? — ворчит Кропп. — Я не об этом. Один народ наносит обиду другому.

— В таком разе мне тут делать нечего, — отвечает Тьяден, — я себя обиженным не чувствую.

— Вот и объясняй такому, — сердится Альберт, — от тебя, деревенщины, тут ничего не зависит.

— Тогда я тем более могу двинуть домой, — упорствует Тьяден, и все смеются.

— Эх, дружище, речь о народе в целом, то есть о государстве! — восклицает Мюллер.

— Государство, государство... — Тьяден лукаво щелкает пальцами. — Полевая жандармерия, полиция, налоги — вот ваше государство. Коли речь о нем, то покорно благодарю.

— Вот это верно, — вставляет Кач, — впервые ты сказал очень правильную вещь, Тьяден, государство и родина, тут в самом деле есть разница.

— Но они ведь неразделимы, — задумчиво произносит Кропп, — родины без государства не бывает.

— Верно, только ты вот о чем подумай: мы ведь почти все простой народ. И во Франции большинство людей тоже рабочие, ремесленники или мелкие служащие. С какой стати французскому слесарю либо сапожнику на нас нападать? Не-ет, это всё правительства. Я никогда не видал француза, пока не попал сюда, и с большинством французов небось обстоит так же: немцев они раньше не видали. Их никто не спрашивал, как и нас.

— Почему же тогда вообще война? — недоумевает Тьяден.

Кач пожимает плечами:

— Должно, есть люди, которым от войны польза.

— Ну, я не из их числа, — ухмыляется Тьяден.

— Здесь таких вообще нету.

— Так кому от нее польза-то? — не унимается Тьяден. — Кайзеру ведь от нее тоже проку нет. У него все есть, чего он ни пожелай.

— Ну, не скажи, — возражает Кач, — войны у него до сих пор еще не было. А каждому более-менее великому кайзеру нужна хоть одна война, иначе он не прославится. Ты загляни в свои школьные учебники.

— Генералы тоже становятся знаменитыми благодаря войне, — вставляет Детеринг.

— Еще знаменитее, чем кайзер, — поддакивает Кач.

— Наверняка за войной стоят другие люди, которым охота на ней заработать, — бурчит Детеринг.

— По-моему, тут скорее что-то наподобие лихорадки, — говорит Альберт. — Никто ее вроде и не хочет, а она вдруг тут как тут. Мы войны не хотели, другие уверяют, что они тоже, и все равно полмира воюет.

— У них там врут больше, чем у нас, — говорю я, — вспомните листовки у пленных, где было написано, что мы-де поедаем бельгийских детей. Молодчиков, которые пишут такое, вешать надо. Вот кто настоящие виновники.

Мюллер встает:

— Хорошо хоть война здесь, а не в Германии. Вы гляньте на изрытые воронками поля!

— Это верно. — Тьяден и тот соглашается. — Но куда лучше совсем без войны.

Он гордо удаляется, ведь в конце концов сумел задать нам, вольноопределяющимся. И здесь его мнение в самом деле типично, с ним сталкиваешься снова и снова, и возразить ничего толком не возразишь, потому что оно еще и пресекает понимание других взаимосвязей. Национальное чувство простого солдата состоит в том, что он находится здесь. Но этим оно и исчерпывается, все прочее он оценивает практически, со своей позиции.

Альберт сердито ложится в траву.

— Лучше вообще об этом не говорить.

— От разговоров ничегошеньки не меняется, — согласно кивает Кач.

Вдобавок почти все новые вещи приходится сдать в обмен на старую рвань. Их нам выдали только для парада.

Вместо России — опять на фронт. Путь лежит через жидкий лесок с искореженными деревьями и развороченной почвой. Кое-где жуткие ямищи.

— Мать честная, вот так долбануло, — говорю я Качу.

— Минометы, — отвечает он, потом показывает вверх.

Среди ветвей висят мертвецы. Голый солдат сидит в развилке сучьев, только каска на голове, а одежды никакой. Там, наверху, лишь половина, безногий торс.

— Что здесь творилось? — спрашиваю я.

— Вышибло его из одежи, — бурчит Тьяден.

— Чудно́, — говорит Кач, — мы эту страсть уже несколько раз видали. Когда долбает этакая мина, человека впрямь вышибает из одежи. Ударной волной.

Взглядом я продолжаю искать. Так и есть. Вон висят лоскутья формы, а в другом месте прилипла кровавая каша, человеческие останки. Вот лежит тело, у которого на одной ноге обрывок подштанников, а на шее воротник от куртки. В остальном он голый, клочья одежды болтаются вокруг на дереве. Рук нет, их словно выкрутило. Одну я замечаю шагах в двадцати, в кустах.

Мертвец лежит лицом вниз. Там, где раны от рук, земля почернела от крови. Листва под ногами расцарапана, словно человек еще дергался.

— Это не шутки, Кач, — говорю я.

— Осколок снаряда в брюхе тоже не шутка, — отвечает он, пожимая плечами.

— Только не раскисать, — бросает Тьяден.

Случилось это, наверно, не так давно, кровь еще свежая. Живых людей мы не видим, а потому не задерживаемся, только сообщаем обо всем в ближайшую санчасть. В конце концов, это не наше дело, пускай санитары поработают.

Решено выслать патруль, чтобы разведать, на какую глубину еще заняты вражеские позиции. Из-за отпуска я как-то странно чувствую себя перед остальными и поэтому тоже вызываюсь идти. Мы намечаем план, пробираемся через проволочные заграждения и разделяемся, ползем вперед уже поодиночке. Немного погодя я нахожу неглубокую ложбину, соскальзываю в нее. И оттуда веду наблюдение.

Местность находится под умеренным пулеметным огнем. Поливают со всех сторон, не очень сильно, однако же достаточно, чтобы особо не подниматься.

Осветительная ракета раскрывает зонтик. Местность цепенеет в блеклом свете. Тем чернее над ней затем смыкается мрак. В окопе недавно рассказывали, что перед нами чернокожие. А это плохо, ведь их толком не разглядишь, вдобавок они очень ловки в патруле. И странным образом зачастую не менее безрассудны; как-то в дозоре Кач и Кропп перестреляли черный патруль противника, потому что, не устояв перед жаждой покурить, те на ходу смолили сигареты. Качу и Альберту достаточно было взять на прицел красные огоньки.

Совсем рядом с шипением рвется небольшой снаряд. Я его не слышал и сильно пугаюсь. В ту же секунду меня захлестывает бессмысленный страх. Я здесь один и почти беспомощен в темноте — а что, если из какой-нибудь воронки за мной давно наблюдают чужие глаза и приготовлена ручная граната, которая разнесет меня в клочья? Надо взять себя в руки. В патруле я не впервые, притом сейчас не особенно опасно. Но после отпуска это первый раз, к тому же местность мне пока не очень знакома.

Я твержу себе, что мое смятение нелепо, что в темноте, вероятно, ничто не подстерегает, ведь иначе бы не стреляли настильно.

Тщетно. Мысли сумбурно мечутся в голове... Я слышу предостерегающий голос мамы, вижу русских у забора, с развевающимися бородами, перед глазами отчетливо, как наяву, мелькают картины — столовая с креслами, кинематограф в Валансьене; воображение мучительно и ужасно рисует бесчувственное серое дуло винтовки, которое держит меня на мушке и беззвучно движется следом, как только я пробую отвернуть голову. Меня бросает в пот.

Я по-прежнему лежу в ложбинке. Смотрю на часы — прошло лишь несколько минут. Лоб мокрый, глазницы в поту, руки трясутся, дыхание хриплое. Это не что иное, как жуткий приступ страха, самой обыкновенной паршивой боязни высунуть голову и ползти дальше.

Напряжение расплывается кашей, превращаясь в желание остаться на месте. Руки-ноги словно прилипли, не оторвешь, попытка безуспешна. Прижимаюсь к земле, не могу двинуться вперед, решаю лежать.

Но тотчас меня захлестывает новая волна — волна стыда, раскаяния и все ж таки безопасности. Я приподнимаюсь, чтобы оглядеться. Глаза щиплет, так я всматриваюсь в темноту. Взлетает осветительная ракета, и я снова прячусь.

Я веду бессмысленную, бестолковую борьбу, хочу вылезти из лощинки и опять сползаю в нее, говорю себе: «Ты должен, это твои товарищи, а не какой-то там дурацкий приказ!», но в следующую секунду: «Да какое мне дело, жизнь-то у меня одна...»

Все из-за этого отпуска, отчаянно оправдываюсь я. Но и сам не верю, мне становится до ужаса противно, я медленно приподнимаюсь, опираясь на руки, подтягиваюсь выше и вот уже наполовину выбираюсь из укрытия.

Тут доносятся какие-то шорохи, и я отпрядываю назад. Несмотря на канонаду, подозрительные шорохи улавливаешь всегда. Напрягаю слух — шорохи у меня за спиной. Это наши, идут по окопу. Вот уже долетают приглушенные голоса. Вроде бы Кач, похоже, он.

Меня разом обдает теплом. Эти голоса, эти скупые, тихие слова, эти шаги в окопе за спиной рывком выдергивают меня из жуткого одиночества смертельного страха, которому я едва не поддался. Они больше, чем моя жизнь, эти голоса, они больше, чем материнская любовь и страх, они самое сильное и самое спасительное на свете — голоса моих товарищей.

Я уже не дрожащий комок плоти один в темноте — я с ними, а они со мной, у нас у всех одинаковый страх и одинаковая жизнь, мы связаны простым и тяжким способом. Мне хочется прижаться лицом к этим голосам, к этим словам, которые спасли меня и будут поддерживать.

Я осторожно переваливаюсь через край ложбины и ужом ползу вперед. На четвереньках крадусь дальше; все хорошо, засекаю направление, осматриваюсь, запоминаю картину орудийного огня, чтобы вернуться назад. Потом пытаюсь соединиться с остальными.

Мне все еще страшно, но теперь страх разумный, просто предельная осторожность. Ночь ветреная, и при вспышках дульного пламени тени мечутся туда-сюда. Из-за этого видишь слишком мало и слишком много. Часто я застываю на месте, но всякий раз ничего не происходит. Так я пробираюсь довольно далеко, а затем по дуге возвращаюсь. Соединиться с товарищами не удалось. Каждый метр в сторону наших окопов прибавляет мне уверенности, а заодно и торопливости. Совершенно ни к чему именно сейчас схлопотать пулю.

Тут на меня снова нападает страх. Я не могу в точности распознать направление. Тихонько спрыгиваю в воронку, пытаюсь сориентироваться. Уже не раз бывало, что человек радостно устремлялся в окоп и лишь потом обнаруживал, что окоп не тот.

Немного погодя опять прислушиваюсь. Я до сих пор не вышел к нужному месту. Хаос воронок кажется мне теперь настолько необозримым, что от волнения я уже вообще не знаю, куда поворачивать. Вдруг я ползу параллельно окопам, а это может продолжаться без конца. И я опять сворачиваю.

Черт бы побрал эти осветительные ракеты! Горят чуть ли не час, едва шевельнешься — вокруг тотчас свистят пули.

Все без толку, надо вылезать. Кое-как двигаюсь дальше, ползу, до крови раздирая руки о зубчатые осколки, острые как бритва. Порой мне кажется, будто небо на горизонте чуть посветлело, хотя, возможно, только кажется. Мало-помалу до меня доходит, что я ползу, чтобы уцелеть.

Разрыв снаряда. Затем еще два. И пошло. Огневой налет. Трещат пулеметы. Ничего не поделаешь, пока что придется лежать. Должно быть, начинается атака. Повсюду взлетают осветительные ракеты. Беспрерывно.

Я лежу скорчившись в большой воронке,

почти по пояс в воде. В случае атаки скачусь в воду целиком, насколько возможно, чтобы не задохнуться, лицом в грязь. Притворюсь мертвым.

Внезапно слышу, что огонь перенесен назад. И немедля съезжаю вниз, в воду, каска на затылке, рот над водой ровно настолько, чтобы кое-как дышать.

Замираю без движения... ведь откуда-то доносится дребезжание, топочут шаги, приближаются... все нервы во мне собираются в ледяной комок. Дребезжание пробегает надо мной, первая волна миновала. В голове у меня билась одна-единственная мысль: что ты сделаешь, если кто-нибудь спрыгнет к тебе в воронку? И теперь я быстро выхватываю маленький кинжал, крепко сжимаю рукоятку и снова прячу руку в грязь. Если кто спрыгнет, сразу ударю, молотом стучит в мозгу, сразу пробью горло, чтобы он не мог закричать, иначе нельзя, он наверняка будет перепуган не меньше меня, и уже от страха мы набросимся друг на друга, потому-то я должен его опередить.

Сейчас стреляют наши батареи. Неподалеку рвется снаряд. Я вконец свирепею, недоставало только сгинуть от своих же снарядов; проклиная все на свете, плюхаюсь в грязь; ярость выплеснулась наружу, в итоге я способен лишь на стоны и мольбы.

Грохот разрывов лупит по ушам. Если

наши пойдут в контратаку, я буду спасен. Прижимаюсь головой к земле и слышу глухие раскаты, будто далекие взрывы в руднике, — снова поднимаю голову, чтобы прислушаться к шумам наверху.

Тявкают пулеметы. Я знаю, проволочные заграждения у нас прочные и почти без повреждений; местами они под током высокого напряжения. Винтовочная пальба усиливается. Они не пройдут, обязательно должны отступить.

В предельном напряжении я опять припадаю к земле. Слышно, как что-то дребезжит, шуршит, звякает. Потом один-единственный истошный вопль. Их обстреливают, атака отбита.

Стало еще чуть посветлее. Мимо спешат шаги. Первые. Миновали. Вновь шаги. Пулеметы трещат без умолку. Я собираюсь немного повернуться, и тут — плюх! — тяжелое тело падает в воронку, валится прямо на меня...

Я ни о чем не думаю, не принимаю решений — яростно бью кинжалом и чувствую только, как тело дергается, потом обмякает и перестает сопротивляться. Когда я прихожу в себя, рука у меня липкая и мокрая.

Тот, другой, хрипит. А мне кажется, он вопит, каждый вздох будто крик, будто гром... но это всего лишь стучит кровь в моих жилах.

Мне хочется зажать ему рот, набить землей, ударить еще раз, пусть замолкнет, ведь он выдаст меня; однако я уже опомнился и вдруг настолько ослабел, что больше не могу поднять на него руку.

Отползаю в дальний угол и оттуда неотрывно смотрю на него, стиснув в руке кинжал, готовый, если он шевельнется, снова броситься на него... но он ничего больше не сделает, я слышу по его хрипам.

Вижу я его смутно. Меня обуревает единственное желание — убраться отсюда. И поскорее, иначе станет слишком светло; даже сейчас уйти будет трудно. Но, попытавшись немного высунуть голову, понимаю: это невозможно. Пулеметный огонь ведется так, что меня изрешетит прежде, чем я сделаю хоть один шаг.

Повторяю попытку, на сей раз выдвигаю вперед и вверх каску, чтобы определить высоту обстрела. Через секунду пуля выбивает каску у меня из рук. Значит, огонь настильный, совсем низко над землей. Я недостаточно далеко от вражеских позиций, чтобы снайперы мигом не прикончили меня, как только я попробую бежать.

Свет набирает силу. Я лихорадочно жду нашей атаки. Руки побелели на костяшках, так я их сжимаю, так молю, чтобы огонь прекратился и пришли мои товарищи.

Минуты уходят, одна за другой. Я больше

не смею глянуть на темную фигуру в воронке. Напряженно смотрю мимо и жду, жду. Пули свистят, это стальная сеть, свист не прекращается, не прекращается.

Тут я вижу, что моя рука в крови, и на меня резко накатывает тошнота. Тру кожу землей, рука теперь грязная, зато крови больше не видно.

Обстрел не ослабевает. Сейчас он одинаково силен с обеих сторон. Наши ребята, наверно, давно решили, что я погиб.

* * *

Рассвело, раннее пасмурное утро. Хрипение не умолкает. Я затыкаю уши, но немного погодя убираю пальцы, потому что не слышу и всего остального.

Фигура напротив шевелится. Я вздрагиваю, невольно смотрю туда. И уже не отвожу глаз. Там лежит человек с усиками, голова откинута набок, одна рука полусогнута, лицо бессильно привалилось к ней. Другая рука на груди, в крови.

Он мертв, говорю я себе, наверняка мертв и ничего уже не чувствует — хрипит только тело. Но голова пробует приподняться, на миг стон становится громче, потом лоб снова утыкается в руку. Он не умер, умирает, но не умер. Я двигаюсь туда, останавливаюсь, опираюсь на руки, ползу дальше, жду... и снова ползу, страшный путь протяженностью в три метра, длинный, жуткий путь. Наконец я подле него.

Тут он открывает глаза. Наверно, еще слышал меня и теперь смотрит с выражением беспредельного ужаса. Тело неподвижно, но в глазах столько невообразимого бегства, что на мгновение мне кажется, у них достанет сил увлечь тело за собой. На сотни километров прочь отсюда, одним-единственным рывком. Тело неподвижно, совершенно неподвижно и беззвучно, хрипы умолкли, только глаза кричат, орут, они сосредоточили всю свою жизнь в непостижимом усилии бежать, в чудовищном ужасе перед смертью, передо мной.

Руки-ноги у меня подламываются, я падаю на локти, шепчу:

— Нет, нет...

Глаза следуют за мной. А я не в состоянии шевельнуться, пока они смотрят.

Но вот его рука медленно скользит по груди, совсем немного, несколько сантиметров, однако это движение разбивает власть глаз. Я наклоняюсь вперед, качаю головой, шепчу:

— Нет, нет, нет... — Поднимаю руку, желая показать, что хочу помочь, и провожу ладонью по его лбу.

Глаза отпрянули, когда я поднес руку, оцепенение оставляет их, ресницы западают глубже, напряжение отпускает. Я расстегиваю ему ворот, устраиваю голову поудобнее.

Рот у него приотрыт, старается что-то сказать. Губы пересохли. Фляжки при мне нет, я ее с собой не брал. Но вода есть внизу, в грязи на дне воронки. Карабкаюсь туда, достаю носовой платок, расправляю, вдавливаю в жижу и горстью зачерпываю желтую воду, которая просачивается сквозь ткань.

Он глотает воду. Я приношу еще. Потом расстегиваю ему куртку, чтобы перевязать, если получится. Так или иначе я должен это сделать, тогда, если меня возьмут в плен, они увидят, что я хотел ему помочь, и не застрелят. Он пытается сопротивляться, да рука слишком слаба. Рубаха приклеилась, и ее не отодвинешь, застежка сзади. Делать нечего, надо разрезать.

Ищу нож, ага, вот он. А когда начинаю резать рубашку, глаза снова открываются, и снова в них крик и безумие, так что приходится их закрыть, шепотом приговаривая:

— Я же хочу помочь тебе, товарищ, camarade, camarade, camarade... — Настойчиво, одно это слово, чтобы он понял.

Три колотые раны. Накладываю на них индивидуальные пакеты, но кровь все равно течет, прижимаю чуть сильнее, он стонет.

Это все, что я могу сделать. Теперь надо ждать, ждать.

Эти часы... Опять начинаются хрипы — как же медленно человек умирает! Ведь я знаю: его не спасти. Я пытался убедить себя в обратном, но в полдень эта попытка растаяла, разбилась о его стоны. Если б, когда полз, не потерял револьвер, я бы его застрелил. Заколоть его я не могу.

Днем я впадаю в полузабытье, на грани мысли. Меня терзает голод, есть хочется чуть не до слез, и бороться с этим я не в силах. Несколько раз приношу умирающему воды и сам тоже пью.

Вот первый человек, которого я убил своими руками и ясно вижу перед собой, вижу, как он умирает, и причина его смерти — я. Кач, и Кропп, и Мюллер тоже видели сраженных их рукой, так происходит со многими, ведь в ближнем бою это не редкость...

Но каждый вздох обнажает мне сердце. Умирающий располагает часами и минутами, у него есть незримый нож, которым он закалывает меня, — время и мои мысли.

Я бы много отдал, если б он остался в живых. Так тяжко лежать и поневоле видеть его и слышать.

В три часа дня он мертв.

Я облегченно перевожу дух. Правда, ненадолго. Скоро безмолвие становится еще невыносимее, чем стоны. Мне бы хотелось опять слышать эти звуки, отрывистые, хриплые, то свистяще тихие, то шумные и громкие.

То, что я делаю, бессмысленно. Но мне надо чем-нибудь заняться. И я еще раз укладываю мертвеца поудобнее, хотя он ничего уже не чувствует. Закрываю ему глаза. Они карие, волосы черные, слегка волнистые на висках.

Губы под усиками полные, мягкие, нос с небольшой горбинкой, кожа смуглая, выглядит не такой блеклой, как недавно, когда он был жив. Секунду лицо даже кажется почти здоровым, но затем быстро опадает, оборачиваясь чужим мертвым ликом, какие я видел не раз, они все похожи друг на друга.

Его жена наверняка сейчас думает о нем; она не знает, что случилось. По всей видимости, он часто писал ей, и она еще получит письма — завтра, через неделю, а какое-нибудь заплутавшее письмо, глядишь, и через месяц. Прочитает, и в этих строчках он заговорит с нею.

Мое состояние все ухудшается, я не могу совладать со своими мыслями. Интересно, как выглядит эта женщина? Как чернявая худышка за каналом? Она не моя? Может, теперь как раз и моя, из-за случившегося! Вот если б сейчас рядом был Канторек! Видела бы меня сейчас мама... Убитый мог бы прожить еще лет тридцать, если бы я хорошенько запомнил обратную дорогу. Пробеги он двумя метрами левее, сидел бы теперь в своем окопе и писал новое письмо жене.

Но таким манером далеко не уйдешь, ведь это наша общая судьба... если б Кеммерих держал ногу на десять сантиметров правее, если б Хайе наклонился сантиметров на пять ниже...

Безмолвие тянется. Я говорю, не могу не говорить. Обращаюсь к нему, говорю с ним:

— Товарищ, я не хотел тебя убивать. Спрыгни ты сюда еще раз и веди себя разумнее, я бы этого не сделал. Но до той минуты ты был всего лишь умозрительным представлением, комбинацией, которая жила в моем мозгу и подтолкнула к решению, — и эту комбинацию я уничтожил. Лишь теперь я вижу, что ты такой же человек, как я. Я думал о твоих ручных гранатах, о твоем штыке и оружии, а теперь вижу твою жену, твое лицо и то общее, что есть у нас обоих. Прости меня, товарищ! Мы всегда замечаем такие вещи слишком поздно. Почему нам не твердят, что вы такие же бедолаги, как мы, что ваши матери боятся так же, как наши, и что мы одинаково страшимся смерти, и умираем одинаково, и одинаково страдаем от боли... Прости меня, товарищ. Как ты мог быть мне врагом? Если отбросить оружие и форму, ты бы мог быть мне братом, в точности как Альберт и Кач. Возьми у меня двадцать лет, товарищ, и воскресни...

возьми больше, ведь я не знаю, что со всем этим делать.

Тихо, фронт спокоен, если не считать винтовочной пальбы. Пули ложатся плотно, стреляют не наобум, а прицельно, с обеих сторон. Вылезти невозможно.

— Я хочу написать твоей жене, — поспешно говорю я мертвецу, — и напишу, пусть она узнает от меня, я скажу ей все, что говорю тебе, она не должна страдать, я помогу ей, и твоим родителям, и твоему ребенку...

Его куртка по-прежнему полурасстегнута. Бумажник найти легко. Но я медлю — открыть или нет? Там солдатская книжка с его именем. Не зная его имени, я, быть может, еще сумею его забыть, время сотрет эту картину, изгладит из памяти. Имя же гвоздем вонзится в меня, и его уже не вытащишь. В его власти снова и снова воскрешать все в памяти, все будет приходить снова и снова, являться передо мной.

Я нерешительно держу бумажник в руке. Он выскальзывает из пальцев, падает, раскрывается. Выпадают несколько фотографий и писем. Я подбираю их, хочу сунуть обратно, но гнетущая безвыходность, неопределенность положения, голод, опасность, долгие часы наедине с мертвецом довели меня до отчаяния, мне хочется ускорить развязку, усилить и закончить пытку, вот так же, когда нестерпимо болит рука, с размаху бьешь ею об дерево — будь что будет, все равно.

Это фотографии женщины и маленькой девчушки, узкие любительские снимки на фоне увитой плющом стены. Рядом письма. Я вынимаю их, пытаюсь прочесть. Бóльшую часть не понимаю, разбирать трудно, да и французский я знаю плохо. Но каждое слово, которое я перевожу, пронзает грудь как пуля, как кинжал.

В голове полный сумбур. Правда, я хотя бы понимаю, что писать этим людям, как думал недавно, никогда не рискну. Нельзя. Еще раз рассматриваю фотографии; люди явно небогатые. Я мог бы анонимно посылать им деньги, когда позднее стану немного зарабатывать. За это и цепляюсь, по крайней мере маленькая опора. Этот мертвец связан с моей жизнью, потому-то ради собственного спасения я обязан сделать и обещать все; я опрометчиво даю обет, что всегда буду жить для него и для его семьи... мокрыми губами убеждаю его, а в самой глубине души при этом теплится надежда, что таким образом я покупаю свободу и, быть может, все же выберусь отсюда, — маленькая хитрость: дескать, давай, а там еще посмотрим. Вот почему я открываю солдатскую книжку и медленно читаю: Жерар Дюваль, печатник.

Карандашом убитого записываю адрес на каком-то конверте, а затем вдруг быстро сую все обратно ему в карман.

Я убил печатника Жерара Дюваля. И должен стать печатником, в смятении думаю я, стать печатником, печатником...

Под вечер я немного успокаиваюсь. Мои опасения были безосновательны. Имя больше не вызывает у меня смятения. Приступ проходит.

— Товарищ, — говорю я убитому, уже вполне сдержанно. — Сегодня ты, завтра я. Но если уцелею, товарищ, я стану бороться против того, что загубило нас обоих: тебе загубило жизнь, а мне?.. И мне жизнь. Даю тебе слово, товарищ. Это не должно повториться, никогда.

Солнце стоит низко. Я отупел от усталости и голода. Вчера для меня как в тумане, я не надеюсь, что сумею отсюда выбраться. Сижу в полудреме и даже не понимаю, что уже вечереет. Наплывают сумерки. И, как мне кажется, быстро. Еще час. Будь сейчас лето, то часа три. А теперь только час.

Меня вдруг охватывает дрожь: а вдруг что-нибудь помешает? Я больше не думаю о мертвеце, теперь он совершенно мне безразличен. Вмиг вспыхивает жажда жить, и все мои намерения отступают перед нею. Только затем, чтобы не навлечь на себя беду, я машинально твержу:

— Я выполню все, что обещал... — хотя и знаю, этого не будет.

Внезапно мне приходит в голову, что собственные товарищи могут застрелить меня, когда я буду подползать; откуда им знать, что это я. Начну кричать как можно раньше, чтобы они поняли. И буду лежать перед окопом, пока не ответят.

Первая звезда. Фронт по-прежнему спокоен. Облегченно вздыхаю и от волнения вслух говорю себе:

— Только без глупостей, Пауль... Спокойно, Пауль, спокойно... Тогда уцелеешь, Пауль.

Увещевания действуют куда лучше, когда я называю себя по имени, ведь тогда получается, что со мной говорит кто-то другой.

Темнота густеет. Волнение утихает, из осторожности я жду до первых ракет. И выбираюсь из воронки. О мертвеце я забыл. Передо мной начинающаяся ночь и блекло освещенное поле. Примечаю ложбину и в тот миг, когда свет гаснет, мчусь туда, ощупью крадусь дальше, добегаю до следующей ямы, прячусь, бегу.

Наши позиции все ближе. При свете очередной ракеты я вижу, как в проволоке что-то шевельнулось и замерло, я тоже застываю. Новая ракета — и я снова вижу движение, наверняка товарищи из нашего окопа. Но из осторожности окликаю, только когда отчетливо узнаю́ наши каски.

И сразу слышу в ответ свое имя:

— Пауль... Пауль...

Снова окликаю. Это Кач и Альберт, вышли с брезентом искать меня.

— Ты ранен?

— Нет-нет...

Мы скатываемся в окоп. Первым делом надо поесть, и я быстро очищаю котелок. Мюллер угощает сигаретой. Я коротко рассказываю, что произошло. Ничего нового, такое случалось не раз. Особенное обстоятельство — ночная атака. Но Качу довелось в России два дня пробыть за русским фронтом, прежде чем он сумел пробиться к своим.

Об убитом печатнике я молчу.

Лишь на следующее утро не выдерживаю. Не могу не рассказать Качу и Альберту. Оба меня успокаивают:

— Тут ничего не поделаешь. У тебя не было другого выхода. Ведь затем ты и здесь!

Я слушаю, защищенный и успокоенный их близостью. Какую же ерунду я нес там, в воронке.

— Глянь-ка вон туда! — показывает Кач.

Возле брустверов стоят снайперы. Винтовки у них с оптическими прицелами, они осматривают участок впереди. Временами гремит выстрел.

Сейчас мы слышим возгласы:

— Попал в точку!

— Видал, как он подпрыгнул? — Сержант Эльрих гордо оборачивается, записывает себе очко. Сегодня он с тремя безупречными попаданиями лидирует в соревновании.

— Что скажешь? — спрашивает Кач.

Я киваю.

— Если так пойдет дальше, нынче вечером в петлице будет еще один значок, — говорит Кропп.

— Или он скоро станет младшим фельдфебелем, — добавляет Кач.

Мы смотрим друг на друга.

— Я бы так не смог, — говорю я.

— Во всяком случае, — говорит Кач, — хорошо, что ты уразумел это именно сейчас.

Сержант Эльрих опять подходит к брустверу. Дуло его винтовки ходит туда-сюда.

— Тут тебе больше незачем распространяться про твою историю, — кивает Альберт.

Теперь я и сам себя не понимаю.

— Это все оттого, что мне пришлось так долго пробыть вместе с ним, — говорю я. В конце концов, война есть война.

Винтовка Эльриха стреляет, коротко и сухо.

X

Нам достался хороший караульный пост. Ввосьмером мы поставлены охранять деревню, откуда всех эвакуировали, поскольку ее слишком сильно обстреливают.

В первую очередь надлежит стеречь провиантский склад, еще не опустевший. Себя мы должны обеспечивать продовольствием сами, из складских запасов. Более подходящих для этого людей не найти — Кач, Альберт, Мюллер, Тьяден, Леер, Детеринг, все наше отделение здесь. Правда, Хайе нет в живых. Но нам еще чертовски повезло, в других отделениях потери гораздо больше.

Под блиндаж занимаем бетонированный подвал, куда ведет наружная лестница. Дополнительно вход защищен особой бетонной стенкой.

Мы развиваем бурную деятельность. Опять подвернулась возможность расправить не только плечи, но и душу. А такие оказии мы не упускаем, ведь положение наше слишком отчаянное, на долгие сантименты нет времени. Расслабляться можно, только пока обстановка не совсем уж скверная. Нам же не остается ничего другого, кроме бесстрастной практичности. Причем настолько бесстрастной, что мне порой становится страшно, если в голову залетает мысль из прежних, довоенных времен. Впрочем, надолго она не задерживается.

Нам просто необходимо относиться к своему положению с возможно меньшей серьезностью. И мы всегда пользуемся случаем отвлечься, потому-то кошмар вплотную, без перехода соседствует с глупой чепухой. Иначе никак нельзя, вот мы и кидаемся во всякие несуразности. И сейчас с пылким усердием создаем идиллию — конечно же, идиллию жратвы и сна.

Первым делом выстилаем погреб матрасами, которые притаскиваем из домов. Солдатская задница не прочь посидеть на мягком. Только посередине пол остается свободным. Потом организуем себе одеяла и перины, роскошные и мягкие. Такого добра в деревне вполне хватает. Мы с Альбертом находим разборную кровать красного дерева, с пологом из голубого шелка и кружевным покрывалом. При транспортировке потеем как бобики, но не бросать же этакое сокровище, тем более что в ближайшие дни его наверняка раздолбают снаряды.

Вместе с Качем я совершаю небольшой патрульный обход домов. Вскоре уже добыты дюжина яиц и два фунта довольно свежего сливочного масла. Внезапно в одной из комнат раздается грохот, железная печка летит мимо сквозь стену, а в метре от нас пробивает вторую стену и исчезает. Две дыры. Печка из дома напротив, куда угодил снаряд.

— Подфартило, — ухмыляется Кач, и мы продолжаем обход. Внезапно оба разом навостряем уши и припускаем бегом. Через минуту стоим как завороженные: в маленьком хлеву копошатся два живых поросенка. Мы протираем глаза, осторожно смотрим снова: они и вправду все еще там. Трогаем — без сомнения, две настоящие живые свинки.

Попируем на славу. Шагах в пятидесяти от нашего блиндажа стоит домишко, где квартировали офицеры. На кухне там огромная плита с двумя решетками-жаровнями, сковородками, кастрюлями и чугунками. Все на месте, в сарае даже огромное количество чурок для топки — поистине не дом, а сказка.

Двое наших с утра в полях, ищут картошку, морковь и молодой горошек. Мы ведь богачи и плюем на консервы со склада, нам подавай свеженькое. В кладовке уже припасены два кочана цветной капусты.

Поросята забиты. Это Кач взял на себя. К жаркому решено приготовить картофельные оладьи. Правда, терок не нашлось. Но мы и тут быстро выходим из положения. Гвоздями пробиваем побольше дырок в железных крышках — вот тебе и терки. Трое надевают толстые перчатки, чтобы теркой не ободрать пальцы, двое чистят картошку, работа кипит.

Кач надзирает за поросятами, морковью, горошком и цветной капустой. Для капусты даже сочинил белый соус. Я пеку оладьи. По четыре штуки за раз. Через десять минут уже смекаю, как надо орудовать сковородкой, чтобы румяные с одного боку оладьи взлетели в воздух, перевернулись и упали на сковородку другой стороной. Поросята жарятся целиком. Все стоят вокруг них, словно вокруг алтаря.

Тем временем пришли гости, двое связистов, которых мы в порыве щедрости приглашаем на пирушку. Они сидят в гостиной, за пианино. Один играет, второй поет «На Везере». Поет задушевно, правда с саксонским выговором. И все же песня трогает нас, пока мы у плиты стряпаем все эти разносолы.

Мало-помалу мы замечаем, что вражеский артобстрел набирает силу. Аэростаты засекли дым из нашей трубы, и на нас стягивают огонь. Стреляют малокалиберными осколочными снарядами, чертовски коварными: они оставляют маленькие воронки, однако осколки рассеиваются понизу и далеко. Свистят они все ближе, но нельзя же бросить еду на произвол судьбы. А противник, сволочь, пристреливается. Несколько осколков залетают поверху в кухонное окно. Жаркое скоро будет готово. Правда, печь оладьи теперь трудновато. Снаряды ложатся так близко, что осколки то и дело бьются о стену дома и летят в окна. Каждый раз, слыша нарастающий свист, я вместе со сковородой и оладьями приседаю и прячусь у стены под окном. Потом выпрямляюсь, пеку дальше.

Саксонцы перестают играть, осколок продырявил пианино. Мы тоже потихоньку закругляемся со стряпней и организуем отступление. После очередного разрыва двое с овощными горшками бегом одолевают пятидесятиметровку до блиндажа. Мы видим, как они исчезают в подвале.

Следующий выстрел. Все пригибаются, потом двое, каждый с кофейником первоклассного натурального кофе, устремляются вперед и до следующего разрыва успевают юркнуть в блиндаж.

Теперь Кач и Кропп подхватывают шедевр — большущую сковороду с румяными поросятами. Вой, приседание — и они мчатся через пятьдесят метров открытого пространства.

Я как раз допекаю последние четыре оладьи, причем дважды вынужден пригибаться, но в конце концов эти четыре оладушка лишними не будут, вдобавок я их просто обожаю.

И вот я с подносом, на котором высится

гора оладий, протискиваюсь за дверь. Свист, грохот — и я бегу во весь дух, обеими руками прижимая поднос к груди. Я уже почти на месте, когда вновь слышится нарастающий свист, мчусь как лось, на полном ходу огибаю бетонную стенку, осколки хлещут по бетону, я съезжаю вниз по лестнице, локти разбиты, но я не потерял ни единого оладушка и поднос не опрокинул.

В два часа садимся обедать. Трапеза продолжается до шести. До половины седьмого пьем кофе — офицерский, со склада — и курим офицерские сигары и сигареты, тоже со склада. В полседьмого приступаем к ужину. В десять выбрасываем за дверь поросячьи кости. Затем угощаемся коньяком и ромом, опять-таки с благословенного провиантского склада, и снова курим длинные, толстые сигары с опояской. Тьяден считает, что недостает только одного: девиц из офицерского борделя.

Поздно вечером мы слышим мяуканье. У входа сидит серый котенок. Мы приманиваем его, кормим. За этим занятием снова приходит аппетит. Жуя, укладываемся спать.

Однако ночью нам приходится худо. Мы переели. Парной молочный поросенок бьет по кишечнику. В блиндаже бесконечные хождения взад-назад. Двое-трое постоянно сидят на улице, спустив штаны и бранясь. Я сам девять раз путешествую туда и обратно. К четырем часам ночи ставим рекорд: все одиннадцать человек, караул и гости, сидят на улице.

Горящие дома как факелы в темноте. С ревом летят снаряды, грохочут разрывы. Колонны подвоза боеприпасов мчатся по дороге. Провиантский склад с одной стороны разбит. Словно пчелиный рой, там, несмотря на град осколков, толпятся шоферы, воруют хлеб. Мы им не препятствуем. Попробуй мы что-нибудь сказать, нам только намнут бока. Поэтому мы действуем иначе. Заявляем, что мы здешняя охрана, а поскольку знаем, что и как, предлагаем им консервы в обмен на вещи, которых нам недостает. Какая разница, вскоре все и так разнесут в клочья. Для себя мы берем со склада шоколад и поедаем целыми плитками. По словам Кача, шоколад помогает от слишком торопливого живота...

Почти две недели проходит за едой, питьем и бездельем. Никто нам не мешает. Снаряды мало-помалу стирают деревню с лица земли, а мы ведем счастливую жизнь. Пока цела хотя бы часть провиантского склада, нам все едино, мы мечтаем дождаться здесь конца войны.

Тьяден до того избаловался, что докуривает сигары лишь до половины. И чванливо твердит, он, мол, так привык. Кач тоже здорово повеселел. По утрам он первым делом восклицает:

— Эмиль, подайте икру и кофе!

У нас вообще принято на диво тонкое обращение, всяк считает другого своим денщиком, выкает его и дает поручения.

— Кропп, у меня чешется подошва, будьте любезны, изловите эту вошь. — С такими словами Леер, точно актриса, вытягивает ногу, и Альберт, схватив его за щиколотку, волочет вверх по лестнице.

— Тьяден!

— Чего?

— Вольно, Тьяден! Кстати, отвечать надлежит не «чего?», а «слушаюсь». Итак, Тьяден!

Тьяден снова отправляется на гастроли к Гёцу фон Берлихингену, с которым он определенно на короткой ноге.

Еще через восемь дней мы получаем приказ уходить. Роскошной жизни конец. Два больших грузовика забирают нас. Кузова доверху нагружены досками. Но поверх досок мы с Альбертом пристраиваем свою кровать с шелковым голубым пологом, матрасами и двумя кружевными покрывалами. В изголовье для каждого лежит мешок с отменной провизией. Мы нет-нет да и ощупываем их, и жесткие копченые колбасы, банки с ливерным паштетом, консервы, коробки с сигарами наполняют наши сердца ликованием. Такой мешок есть у каждого из нас.

Кроме того, мы с Кроппом спасли еще два красных плюшевых кресла. Они стоят на кровати, и мы развалясь восседаем в них, точно в театральной ложе. Над нами раздувается шелковый полог-покрывало. В зубах у нас длинные сигары. И оба с высоты обозреваем окрестности.

Между нами стоит птичья клетка, которую мы разыскали для котенка. Взяли его с собой, он лежит возле миски с мясом и мурлычет.

Машины медленно катят по дороге. Мы поём. Позади, в теперь уже полностью покинутой деревне, рвутся снаряды, выбивая фонтаны земли и обломков.

Несколько дней спустя мы выступаем — приказано очистить населенный пункт. По дороге нам встречаются выселенные обитатели. В тачках, детских колясках, а то и просто на горбу они тащат свои пожитки. Спины согнуты, на лицах печаль, отчаяние, спешка и покорность. Дети цепляются за руки матерей, иногда девочка постарше ведет малышей, которые, то и дело оглядываясь, плетутся вперед. Некоторые прижимают к себе жалких кукол. Проходя мимо нас, все молчат.

Мы пока что шагаем походной колонной, ведь французы не станут обстреливать деревню, где находятся их соотечественники. Но через считаные минуты воздух оглашается воем, земля дрожит, слышны крики — снаряд разнес хвост колонны. Мы бросаемся врассыпную, падаем наземь, и тотчас же я чувствую, как уходит напряжение, которое обычно под огнем заставляет меня инстинктивно действовать правильным образом; мысль «Тебе конец!» возникает в мозгу вместе с жутким удушливым страхом, а в следующий миг по левой ноге словно ударяют хлыстом. Я слышу крик Альберта, он рядом со мной.

— Вставай, Альберт, бежим! — ору я, ведь мы лежим на открытом месте, без всякой защиты.

Он шатаясь встает, бежит. Я не отстаю. Нам необходимо перебраться через живую изгородь, она выше нас. Кропп хватается за ветки, я берусь за его ногу, он вскрикивает, я толкаю его вверх, и он перелетает на ту сторону. Одним прыжком я следую за ним и падаю в пруд, расположенный прямо за изгородью.

Лица у нас в ряске и иле, однако укрытие хорошее. Поэтому мы заходим в воду по шею. Когда слышится вой, ныряем с головой.

Так мы проделываем раз десять, и мне становится невмоготу. Альберт тоже стонет:

— Давай выбираться отсюда, иначе я просто рухну и утону.

— Куда тебя ранило? — спрашиваю я.

— По-моему, возле колена.

— Бежать можешь?

— Пожалуй...

— Тогда вперед...

Мы добегаем до придорожного кювета, мчимся, пригнувшись, по нему. Огонь следует за нами. Дорога ведет к артиллерийскому складу. Если он взлетит на воздух, от нас даже пуговицы не останется. Поэтому мы меняем план, сворачиваем, бежим через поле.

Альберт замедляет шаги.

— Ты беги, а я догоню, — говорит он и падает.

Я хватаю его за плечо, поднимаю, трясу.

— Держись, Альберт, если ляжешь, то уже не встанешь. Давай, обопрись на меня.

Наконец мы добираемся до маленького блиндажа. Кропп валится наземь, я его перевязываю. Пуля прошла немного выше колена. Затем осматриваю себя. Брюки в крови, рукав тоже. Альберт бинтует мои раны. Нога у него уже не двигается, и мы оба диву даемся, как вообще сумели дотянуть досюда. Спасибо страху, мы бы и без ног бежали, на культяпках.

Я еще кое-как способен ползти и окриком останавливаю проезжающую мимо повозку, которая подбирает нас. Повозка полна раненых. Здесь же ефрейтор-санитар, он первым делом вгоняет нам в грудь уколы от столбняка...

В полевом лазарете мы устраиваемся рядом. Нам дают жиденький суп, который мы хлебаем с жадностью и отвращением — хоть и привыкли к лучшим временам, но голод не тетка.

— Теперь домой поедешь, Альберт, — говорю я.

— Надеюсь, — отвечает он. — Знать бы только, что́ там у меня.

Боли усиливаются. Раны под бинтами горят огнем. Мы без конца пьем воду, стакан за стаканом.

— Насколько моя рана выше колена? — спрашивает Кропп.

— Как минимум сантиметров на десять, Альберт, — отвечаю я. На самом деле сантиметра на три.

— Я вот что решил, — помолчав, говорит он, — если мне хоть что-нибудь ампутируют, покончу с собой. Не желаю быть калекой.

Так мы лежим со своими мыслями и ждем.

Вечером — на вивисекцию. Я испуганно прикидываю, что делать; известно ведь, доктора в полевых лазаретах горазды ампутировать. При большом наплыве это проще, чем сложная штопка. Мне вспоминается Кеммерих. Ни за что не дам себя хлороформировать, пусть даже придется проломить башку одному-другому.

Пока все благополучно. Врач копается в ране, так что у меня в глазах чернеет.

— Не прикидывайтесь! — прикрикивает он и кромсает дальше. В ярком свете инструменты взблескивают, как злобное зверье. Боль невыносимая. Двое санитаров крепко держат меня за руки, но я высвобождаю одну и как раз примериваюсь врезать хирургу по очкам, когда он, вовремя заметив, отскакивает назад и яростно кричит:

— Хлороформируйте парня!

Тут я успокаиваюсь:

— Извините, господин доктор, я не стану дергаться, только не надо хлороформа.

— Ладно, — каркает он и снова берется за инструменты. Это светловолосый малый лет тридцати, не старше, со студенческими шрамами на лице, в омерзительных золотых очках. Я понимаю: теперь он мучает меня нарочно, копается в ране и нет-нет бросает на меня взгляд поверх очков. Мои ладони судорожно стискивают рукоятки, я скорее сдохну, но он не услышит от меня ни звука.

Он извлек осколок, кидает его мне. Видимо, удовлетворен моим поведением, потому что сейчас тщательно накладывает лубки и говорит:

— Завтра поедете домой.

Потом меня гипсуют. Вернувшись к Кроппу, я рассказываю ему, что, наверно, уже завтра придет санитарный поезд.

— Надо потолковать с фельдшером, чтобы остаться вместе, Альберт.

Мне удается сказать фельдшеру несколько нужных слов и вручить две сигары с опоясками из моих запасов. Он нюхает их, спрашивает:

— А у тебя есть еще?

— Найдутся, — отвечаю я, — и у моего товарища тоже. — Показываю на Кроппа. — Мы оба с удовольствием передадим их вам из окна поезда.

Он, конечно, смекает, еще раз нюхает и говорит:

— Заметано.

Ночью мы не смыкаем глаз. У нас в палате умирает семь человек. Один целый час высоким надломленным тенором распевает хоралы, потом начинает хрипеть. Другой умудряется вылезти из койки и доползти до окна. И лежит там, словно напоследок хотел поглядеть на улицу.

* * *

Наши носилки стоят на вокзале. Ждем санпоезда. Идет дождь, а вокзал без навеса. Одеяла тонкие. Ждем уже два часа.

Фельдшер опекает нас как родная мать. Хотя мне очень плохо, я не забываю про наш план. Невзначай показываю ему сверточки и выдаю одну сигару в качестве задатка. За это фельдшер укрывает нас брезентом.

— Альберт, дружище, — вспоминаю я, — наша кровать с пологом и котенок...

— И клубные кресла, — добавляет он.

Да, клубные кресла из красного плюша.

Вечерами мы сидели в них как князья и даже намеревались позднее сдавать их по часовой таксе. Сигарета за час. Беззаботная жизнь и неплохой гешефт.

— Альберт, — опять вспоминаю я, — а наши мешки со жратвой!

Мы огорчаемся. Они бы нам пригодились. Если бы поезд уходил на день позже, Кач наверняка бы разыскал и принес наше добро.

Вот ведь окаянная судьба. В желудках у нас мучная баланда, жиденький лазаретный суп, а в мешках-то свиная тушенка. Но мы так ослабели, что уже и расстраиваться по этому поводу не в силах.

Когда прибывает санпоезд, носилки насквозь мокрые. Фельдшер устраивает нас в один вагон. Там множество сестер из Красного Креста. Кроппа кладут на нижнюю койку. Меня поднимают, чтобы я занял койку над ним.

— Господи Боже! — невольно восклицаю я.

— Что такое? — спрашивает сестра.

Я гляжу на постель. Там белоснежное белье, невероятно чистое, даже со складками от утюга. А моя рубаха шесть недель не стирана, чудовищно грязная.

— Сами переползти не можете? — озабоченно осведомляется сестра.

— Могу, — обливаясь потом, отвечаю я, — но сперва снимите постельное белье.

— Почему?

Я чувствую себя свиньей. Мне лечь туда?

— Так ведь оно... — Я медлю.

— Немножко запачкается? — бодро спрашивает она. — Ничего страшного, выстираем снова, и дело с концом.

— Да нет... — с жаром говорю я. До такого натиска культуры я не дорос.

— За то, что вы были на фронте, в окопах, мы вполне можем выстирать лишнюю простыню, — продолжает сестра.

Я смотрю на нее — свеженькая, молодая, дочиста вымытая и изящная, как всё здесь, уму непостижимо, что это не только для офицеров, чувствуешь себя неуютно и даже как бы под угрозой.

Не женщина, а палач, она заставляет меня сказать все.

— Просто... — Я умолкаю, должна же она понять, что́ я имею в виду.

— Так в чем же дело?

— Во вшах, — в конце концов выпаливаю я.

Она смеется:

— Им тоже не грех пожить в свое удовольствие!

Ну, коли так, и мне все равно. Я забираюсь в постель, укрываюсь одеялом.

Чья-то рука ощупывает одеяло. Фельдшер. Уходит он с сигарами.

Через час мы замечаем, что поезд движется.

Ночью я просыпаюсь. Кропп тоже ворочается. Поезд тихо постукивает по рельсам. Пока что все непостижимо: постель, санпоезд, домой.

— Альберт! — шепчу я.

— Да?..

— Знаешь, где тут сортир?

— По-моему, в конце вагона, справа.

— Пойду посмотрю.

Темно, я нащупываю край койки, хочу осторожно соскользнуть вниз. Но здоровая нога не находит опоры, от загипсованной ноги помощи никакой, и я с грохотом падаю на пол. Вполголоса чертыхаюсь.

— Ушибся? — спрашивает Кропп.

— Сам небось слышал, — сердито ворчу я, — голова...

В конце вагона отворяется дверь. Сестра со свечой. Видит меня.

— Он упал с койки...

Она щупает мне пульс, кладет ладонь на лоб.

— Но у вас ведь нет жара.

— Верно, нет... — соглашаюсь я.

— Вам что-то приснилось? — спрашивает она.

— Ну, вроде как... — уклончиво говорю я. Сейчас опять начнутся расспросы. Она глядит на меня блестящими глазами, такая чистенькая и чу́дная, и я, конечно же, никак не могу сказать ей, что мне нужно.

Меня снова поднимают наверх. Ладно, пускай. Когда она уйдет, придется сразу еще раз попробовать слезть. Будь на ее месте старая женщина, сказать, в чем дело, было бы легче, но она совсем молодая, не старше двадцати пяти, ничего не выйдет, не могу я ей сказать.

Альберт приходит мне на помощь, он не стесняется, в конце концов, речь-то не о нем. Он окликает сестру. Она оборачивается.

— Сестра, он хотел... — Но и Альберт не знает, как бы выразиться безупречно и благоприлично. Между собой, в окопах, мы называем это одним словом, а здесь, перед такой вот дамой... Тут ему вспоминаются школьные времена, и он быстро доканчивает: — Ему надо выйти, сестра.

— Ах вот оно что, — говорит сестра. — С ногой в гипсе для этого вовсе незачем слезать с постели. Вам что именно нужно? — обращается она ко мне.

Я до смерти напуган новым поворотом событий, так как понятия не имею, как эти вещи называются у специалистов. Сестра приходит на помощь:

— По-маленькому или по-большому?

Какой срам! Я обливаюсь потом, смущенно говорю:

— Ну, по-маленькому...

Уфф, хоть чуточку повезло.

Мне дают бутылку. Через несколько часов

я уже не единственный, а утром мы привыкли и без смущения требуем необходимое.

Поезд идет медленно. Временами останавливается, из вагонов выносят умерших. Останавливается он часто.

Альберта лихорадит. Я чувствую себя сносно, испытываю боли, но куда хуже, что под гипсом, вероятно, расплодились вши. Зуд страшенный, а почесать нельзя.

Дни проходят в забытьи. Ландшафт тихо плывет за окном. На третью ночь прибываем в Хербесталь. Слышу от сестры, что на следующей станции Альберта снимут с поезда, из-за горячки.

— А куда идет эшелон? — спрашиваю я.

— В Кёльн.

— Альберт, мы останемся вместе, — говорю я, — вот увидишь.

Когда сестра совершает очередной обход, я задерживаю дыхание и отжимаю воздух в голову. От натуги лицо багровеет. Она останавливается.

— Сильные боли?

— Да, — со стоном выдавливаю я, — внезапно.

Она дает мне термометр, идет дальше. Не зря же я учился у Кача — знаю, как тут быть. Солдатские термометры не рассчитаны на ушлых вояк. Главное, загнать ртуть вверх, а уж тогда она замрет в тонкой трубочке и вниз не опустится.

Я сую термометр под мышку, наискось вниз, и все время щелкаю по нему указательным пальцем. Потом стряхиваю ртуть вверх. Догоняю до 37,9. Но этого недостаточно. Осторожный нагрев на спичке обеспечивает 38,7.

Когда сестра возвращается, я надуваю щеки, дышу толчками, смотрю на нее чуть осоловелым взглядом, беспокойно ворочаюсь и шепчу:

— Я больше не выдержу...

Она делает на листке пометку насчет меня. Я точно знаю, что без крайней необходимости гипс не вскроют.

Нас с Альбертом обоих снимают с поезда.

Мы в католическом лазарете, в одной палате. Нам здорово повезло, ведь католические больницы славятся хорошим уходом и хорошим питанием. Лазарет целиком заполнен ранеными из нашего эшелона, среди них много тяжелых. Сегодня нас на осмотр не направят, врачей слишком мало. По коридору непрерывно везут плоские каталки на резиновом ходу, и всегда на них кто-нибудь лежит. Хреновая поза — вот так лежать пластом... лучше уж спать.

Ночь очень тревожная. Никто глаз не смыкает. Только под утро ненадолго забываемся сном. Просыпаюсь, когда становится светло. Дверь открыта, из коридора долетают голоса. Остальные тоже просыпаются. Один из раненых — он здесь уже несколько дней — объясняет, в чем дело:

— Здешние сестры каждое утро молятся в коридоре. Заутреня у них, дескать. А чтобы вы получили свою долю, открывают двери.

Делается все это, безусловно, с добрыми намерениями, но у нас болят кости, болят головы.

— Вот глупость, — говорю я, — только сумел заснуть, и на тебе.

— Здесь, наверху, лежат легкораненые, вот монашки и открывают двери, — отвечает он.

Альберт стонет. Я со злостью кричу:

— Тихо там, в коридоре!

Через минуту появляется сестра. В своем черно-белом одеянии она похожа на хорошенькую грелку для кофейника.

— Закройте дверь, сестра, — просит кто-то.

— Совершается молитва, поэтому дверь открыта, — говорит она.

— Но мы хотим еще вздремнуть...

— Молитва лучше сна. — Она стоит с невинной улыбкой. — Да и семь часов уже.

Альберт опять стонет.

— Закройте дверь! — рявкаю я.

Она в полном замешательстве, видимо, это выше ее понимания.

— Мы молимся и за вас тоже.

— Все равно! Закройте дверь!

Она исчезает, оставив дверь открытой. Снова раздается литания. Я свирепею:

— Считаю до трех. Если это не прекратится, запущу чем-нибудь в коридор!

— И я тоже, — подхватывает кто-то.

Считаю до пяти. Потом беру бутылку, прицеливаюсь и швыряю через дверь в коридор. Она разлетается вдребезги. Молитва смолкает. Прибегает целая стая сестер, сдержанно возмущаются.

— Закройте дверь! — кричим мы.

Они удаляются. Давешняя малышка уходит последней.

— Язычники! — щебечет она, но дверь все-таки закрывает. Победа за нами.

В полдень приходит госпитальный инспектор, учиняет нам разнос. Грозит крепостью и прочими карами. Что ж, госпитальный инспектор, как и интендантский, хотя и носит длинный кортик и погоны, но вообще-то просто чиновник, и даже новобранец не примет его всерьез. Поэтому мы не мешаем ему разоряться. Что нам сделается...

— Кто бросил бутылку? — вопрошает он.

Я и подумать не успел, стоит ли сознаваться, как кто-то говорит:

— Я!

Мужчина с лохматой бородой приподнимается на койке. Всем интересно, почему он так сказал.

— Вы?

— Так точно. Я был раздосадован, что нас разбудили без надобности, и вышел из себя, сам не знал, что делаю.

Шпарит как по писаному.

— Ваше имя?

— Резервист Йозеф Хамахер.

Инспектор уходит. Все сгорают от любопытства.

— Ты зачем вылез? Бросал-то не ты!

Он ухмыляется:

— Ну и что? У меня справка из психушки.

Это понятно каждому. Со справкой из психушки можно делать что угодно.

— Короче говоря, — рассказывает он, — у меня было черепное ранение, и мне выдали справку, что временами я невменяем. С тех пор живу и в ус не дую. Меня нельзя раздражать. Стало быть, ничего мне не будет. Этот внизу здорово разозлится. А сознался я потому, что бросок доставил мне удовольствие. Коли завтра они опять откроют дверь, сызнова шандарахнем.

Все в восторге. С Йозефом Хамахером можно творить что хочешь.

Потом за нами приезжают бесшумные плоские каталки.

Повязки присохли. Мы рычим как медведи.

В палате нас восемь человек. Самое тяжелое ранение у Петера, курчавого брюнета, — сложное повреждение легкого. У его соседа Франца Вехтера прострелено плечо, которое поначалу выглядит неплохо. Однако на третью ночь он будит нас, просит звонком вызвать сестру: кажется, у него открылось кровотечение.

Я с силой жму на звонок. Ночной сестры нет как нет. Вечером мы изрядно задали ей работы, потому что после перевязки всех мучили боли. Один просил положить ногу так, другой — этак, третий требовал пить, четвертому она взбивала подушку, под конец толстая старушенция сердито ворчала и хлопала дверью. Вот и сейчас небось ожидает чего-нибудь в таком же духе, оттого и не идет.

Мы ждем. Потом Франц говорит:

— Позвони еще раз.

Я звоню. Ее по-прежнему не видно. В нашем крыле ночью дежурит одна-единственная сестра, может, занята сейчас в других палатах.

— Франц, ты уверен насчет кровотечения? — спрашиваю я. — Не то ведь опять получим нахлобучку.

— Повязка мокрая. Свет никто включить не может?

Да, попробуй включи, когда выключатель возле двери, а встать никто не может. Я давлю на кнопку большим пальцем, пока он не немеет. Сестра не иначе как заснула. Работы у них полным-полно, еще днем все из сил выбиваются. Вдобавок постоянные молитвы.

— Как насчет бутылками шандарахнуть? — спрашивает Йозеф Хамахер, обладатель справки.

— Она звонка не слышит, а уж это тем более пропустит мимо ушей.

Наконец дверь отворяется. На пороге стоит недовольная старушенция. Но, увидев, что творится с Францем, в спешке кричит:

— Почему мне не сообщили?

— Так мы же звонили. А ходячих здесь нету.

Кровотечение сильное, Францу делают перевязку. Утром мы видим его лицо, заострившееся и пожелтевшее, а ведь вечером выглядело почти здоровым. Сестры теперь заходят чаще.

* * *

Иногда это сестры-помощницы из Красного Креста. Добродушные, но подчас довольно неуклюжие. Перестилая постель, часто причиняют боль, пугаются, а со страху делают еще больнее.

Монахини надежнее. Знают, как обращаться с ранеными, но им бы очень не помешало быть чуть повеселее. Впрочем, у некоторых чувство юмора есть, и вот они совершенно замечательные. Ну кому бы не хотелось исполнить любое желание сестры Либертины, чудесной сестры, которая поднимает настроение всему крылу, даже когда ее просто видно вдалеке? И она не одна такая. За них мы бы в огонь пошли. Здесь вправду жаловаться не на что, монахини относятся к нам прямо как к гражданским. Вспомнишь о гарнизонных лазаретах, где надо лежать, как бы вскинув руку к козырьку, так просто страх берет.

Силы к Францу Вехтеру не возвращаются. И однажды его увозят из палаты. Йозеф Хамахер со знанием дела объясняет:

— Больше мы его не увидим. В мертвецкую его отвезли.

— Куда-куда? — переспрашивает Кропп.

— Ну, в смертную палату...

— А что это?

— Маленькая угловая палата, в этом крыле. Кому недолго осталось, переводят туда. Там две койки. Так ее везде попросту и называют — смертная палата.

— Но зачем переводят-то?

— Работы меньше потом. Да и удобнее, палата рядом с лифтом в морг. А может, чтобы не умирали в палатах, на глазах у остальных. И бодрствовать подле него легче, когда он один.

— Но ему-то самому каково?

Йозеф пожимает плечами:

— Обычно он уже мало что замечает.

— И все это знают?

— Те, кто здесь достаточно долго, конечно же, знают.

Во второй половине дня койку Франца Вехтера занимает новый раненый. Через несколько дней его тоже увозят. Йозеф делает красноречивый жест. Сменяются еще несколько человек.

Иногда возле коек сидят родные, плачут или что-то говорят, тихо и смущенно. Одна старая женщина вообще не желает уходить, но ведь оставаться на ночь запрещено. Рано утром она снова здесь и все же, увы, опоздала: когда она подходит к койке, там лежит другой. Ей надо в морг. Яблоки, которые принесла с собой, она отдает нам.

Маленькому Петеру тоже стало хуже. Температурный лист выглядит скверно, и однажды к его койке подвозят каталку.

— Куда? — спрашивает он.

— В перевязочную.

Его перекладывают на каталку. Но сестра допускает оплошность, снимает с крючка его форменную куртку и кладет на каталку, чтобы не ходить дважды. Петер сразу все понимает и норовит свалиться с каталки.

— Я останусь здесь! — Его прижимают

к каталке. Он тихо кричит простреленными легкими: — Я не хочу в смертную!

— Мы же в перевязочную.

— А зачем вам тогда моя куртка? — Говорить он больше не в силах. Хрипло, возбужденно шепчет: — Я останусь здесь!

Они не отвечают, выкатывают его в коридор. У двери он пробует подняться. Курчавая черноволосая голова трясется, глаза полны слез.

— Я вернусь! Вернусь! — кричит он.

Дверь закрывается. Все мы разволновались, но молчим. Наконец Йозеф роняет:

— Другие тоже так говорили. Туда попадешь, и все, хана.

Меня оперируют, и два дня кряду я мучаюсь рвотой. Кости у меня срастаться не желают, говорит докторский писарь. У другого раненого они срослись неправильно, и их снова ломают. Это вообще беда.

Среди новых два молодых солдатика с плоскостопием. Обнаружив при обходе сей изъян, главврач радостно останавливается:

— Это мы исправим, сделаем маленькую операцию, и ноги будут в порядке. Запишите, сестра.

Когда он уходит, всезнайка Йозеф предостерегает:

— Нипочем не соглашайтесь на операцию!

У старикана это научный бзик. Для него каждый плоскостопый желанная добыча, враз уцепится. Ноги он вам оперирует, от плоскостопия впрямь избавит, зато обеспечит косолапость, всю жизнь с костылями будете шкандыбать.

— Что же делать? — спрашивает один из парней.

— Отказаться! Вы здесь затем, чтоб огнестрельные ранения лечить, а не плоскостопие оперировать! Разве на фронте его у вас не было? То-то и оно! Пока что вы можете ходить, а поработает старикан ножичком — амба! — вы калеки. Ему подопытные кролики нужны, поэтому война для него золотое времечко, как и для всех лекарей. Вы загляните разок в нижнее отделение, там человек десять мотается таких, кого он оперировал. Иные тут с четырнадцатого, с пятнадцатого торчат, годами. Лучше ходить ни один не стал, наоборот, почти все куда хуже, большинство только в гипсе. Каждые полгода он опять тащит их оперировать, сызнова ломает кости и всякий раз талдычит, что уж теперь-то все пройдет успешно. Так что поберегитесь, ребята, без вашего согласия ему резать запрещено.

— Эх, дружище! — устало говорит один из двоих. — Лучше уж ноги, а не черепушка. Знаешь, что́ схлопочешь, ежели опять на фронте окажешься? Пускай делают со мной что хотят, лишь бы домой вернуться. Лучше косолапым, чем покойником.

Второй, парень в наших годах, не хочет. Наутро старикан велит доставить их вниз, а там уговаривает и наседает до тех пор, пока они все-таки не соглашаются. Да и что они могут сделать? Они всего-навсего простые солдаты, а он важная шишка. Обратно их привозят в гипсе, под хлороформом.

С Альбертом дело плохо. Его увозят на ампутацию. Отнимают всю ногу до середины бедра. Теперь он почти все время молчит. Однажды говорит, что застрелится, как только доберется до своего револьвера.

Прибывает новый эшелон. К нам в палату помещают двух слепых. Один из них музыкант, совсем молоденький. Сестры, когда кормят его, нож с собой не берут, ведь однажды он сумел им завладеть. Несмотря на эту предосторожность, случается беда. Вечером, во время ужина, сестру куда-то вызывают, и она уходит от его койки, оставив на тумбочке тарелку с вилкой. Он ощупью находит вилку, хватает ее и с размаху вбивает себе в грудь против сердца, потом берет башмак и что есть силы лупит по рукоятке. Мы зовем на помощь, и только троим мужикам удается отобрать у него вилку. Тупые зубья успели вонзиться глубоко. Всю ночь он костерит нас, так что заснуть никто не может. Утром парень бьется в истерике.

Опять освобождаются койки. Дни за днями проходят в боли и страхе, стонах и хрипах. От мертвецких уже никакого толку, их слишком мало, ночами народ умирает и в нашей палате. Все идет быстрее, чем рассчитывали сестры.

Но в один прекрасный день дверь распахивается, въезжает каталка, а на ней бледный, худой, с растрепанными черными кудрями, победоносно выпрямившись, сидит Петер. Сияющая сестра Либертина подкатывает его к давней койке. Он вернулся из смертной палаты. А мы думали, его давно нет в живых.

Он оглядывается по сторонам:

— Ну, что теперь скажете?

Даже Йозеф не может не признать, что видит такое впервые.

Мало-помалу кой-кому из нас разрешают вставать. Вот и мне тоже выдают костыли. Но я пользуюсь ими редко, невмоготу чувствовать на себе взгляд Альберта, когда я хожу по палате. Он смотрит всегда с таким странным выражением. Поэтому я иной раз выбираюсь в коридор — там можно двигаться свободнее.

Этажом ниже лежат солдаты с ранениями живота, позвоночника, головы и те, кому ампутировали обе ноги. В правом крыле — челюстные ранения, газовые ожоги, ранения носа, ушей и шеи. В левом — слепые и с ранениями легких, таза, суставов, почек, мошонки, желудка. Вот где видишь, каких только увечий не причиняют человеку.

Двое умирают от столбняка. Кожа блекнет, тело цепенеет, под конец — долго — живут одни только глаза. У одних раненая конечность свободно висит в воздухе, на кронштейне, под рану подставлен тазик, куда капает гной. Каждые два-три часа тазик опорожняют. Другие лежат на растяжке, с тяжелыми, тянущими вниз гирями возле койки. Я вижу ранения кишечника, постоянно полные кала. Докторский писарь показывает мне рентгеновские снимки совершенно раздробленных бедреных костей, коленей и плеч.

Непостижимо, что над такими изорванными телами еще есть человеческие лица, в которых продолжается будничная жизнь. И ведь это лишь один-единственный лазарет, одно-единственное отделение, а их сотни тысяч в Германии, сотни тысяч во Франции, сотни тысяч в России. До чего бессмысленно все, что было когда-либо написано, сделано, подумано, если возможно вот такое! Наверно, все ложь и ничтожность, коль скоро культура тысячелетий даже не сумела воспрепятствовать тому, чтобы проливались эти реки крови, чтобы сотнями тысяч существовали эти пыточные застенки. Только лазарет показывает, что такое война.

Я молод, мне двадцать лет, но в жизни мне знакомы лишь отчаяние, смерть, страх и сплетение нелепейшей бездумности с бездной страдания. Я вижу, что народы сталкивают друг с другом и они молча, в неведении, безрассудно, покорно, безвинно убивают друг друга. Я вижу, что величайшие умы на свете изобретают оружие и слова, чтобы сделать все это еще рафинированнее и длительнее. И вместе со мной это видят мои сверстники здесь и там, во всем мире, вместе со мной это переживает все мое поколение. Что будут делать наши отцы, если мы однажды поднимемся, станем перед ними и потребуем ответа? Чего они ждут от нас, когда наступит время без войны? Годами мы занимались убийством, оно было нашей первой профессией. Наше знание о жизни ограничивается смертью. Что может случиться после? И что станется с нами?

Самый старший у нас в палате — Левандовский. Ему сорок, в госпитале он уже десять месяцев, из-за тяжелого ранения живота. И лишь в последние недели стал понемногу ковылять, правда согнувшись.

С недавних пор он пребывает в большом волнении. Из польской глуши, где она живет, жена написала ему, что скопила денег на дорогу и приедет его навестить.

Она в пути, со дня на день будет здесь. Левандовскому и еда больше не в радость, съест ложку-другую и раздаривает даже красную капусту с жареной колбасой. Все время снует с письмом по палате, каждый читал его уже раз по десять, бог весть как часто изучал почтовые штемпели, написанное уже толком не разберешь из-за жирных пятен и следов от пальцев, и чему быть, того не миновать: у Левандовского поднимается температура, и его снова укладывают в постель.

Жену он не видел два года. За это время она родила ребенка, которого привезет с собой. Но Левандовского занимает совсем другое. С приездом жены он надеялся получить увольнительную, ясно ведь: увидеться, конечно, хорошо, но когда после такой долгой разлуки жена опять рядом, хочется, если возможно, кой-чего еще.

Левандовский часами обсуждал с нами все это, ведь солдаты подобные вещи в секрете не держат. Никто не усматривает в этом ничего особенного. Те из нас, что уже выходят за пределы лазарета, назвали ему несколько отличных уголков в городе, скверов и парков, где никто не помешает, один даже знал съемную комнатку.

Но что проку? Левандовский со своими заботами лежит в постели. Вся жизнь будет ему не в радость, если он упустит это дело. Мы успокаиваем его, обещаем, что уж как-нибудь найдем выход.

На следующий день после обеда приходит его жена, маленькая, худенькая, с быстрыми, боязливыми птичьими глазами, в этакой черной накидке с оборками и лентами, одному Богу известно, от кого ей достался этот наряд.

Она что-то тихонько лепечет и, оробев, останавливается у двери. Ее пугает, что нас здесь шестеро мужчин.

— Что ж, Марья, — говорит Левандовский, и кадык плотоядно ходит вверх-вниз, — можешь спокойно заходить, они тебе ничего не сделают.

Она обходит палату, за руку здоровается с каждым. Потом показывает младенца, который меж тем успел обмочить пеленки. У нее с собой большая, расшитая бусинами сумка, откуда она достает чистую пеленку и ловко перепеленывает малыша. За этим занятием она преодолевает первое смущение, и они начинают разговор.

Левандовский ужасно взвинчен, круглые навыкате глаза то и дело печально косятся на нас.

Время подходящее, врачебный обход миновал, в палату может заглянуть разве только сестра. Поэтому отряжаем еще одного в коридор — на разведку. Вернувшись, он кивает:

— Никого. Ну, скажи ей, Иоганн, и вперед.

Они говорят на своем языке. Женщина краснеет и смущается. Мы добродушно ухмыляемся и жестами показываем: да что тут такого! Черт с ними, с предрассудками, их придумали для других времен; вот лежит столяр Иоганн Левандовский, искалеченный пулями солдат, а вот его жена, кто знает, когда он снова ее увидит, он хочет ее и пусть получит, точка.

Двое становятся перед дверью, чтобы перехватить сестер и отвлечь их внимание, если они случайно появятся. Караулить они намерены минут пятнадцать.

Левандовский может лежать только на боку, поэтому за спину ему заталкивают еще несколько подушек. Альберт держит ребенка, потом мы все чуток отворачиваемся, черная накидка исчезает под одеялом, а мы режемся в скат, громко шлепая картами и восклицая.

Все нормально. У меня никчемное трефовое соло с четверками, которое удается коекак разыграть. За картами мы почти забываем Левандовского. Немного погодя младенец начинает хныкать, хотя Альберт отчаянно его качает. Потом что-то шуршит, а когда мы невзначай поднимаем глаза, то видим, что ребенок уже сосет рожок и снова находится на руках у матери. Значит, порядок.

Сейчас мы чувствуем себя как большая семья, женщина весьма приободрилась, Левандовский лежит потный и сияющий.

Достав из вышитой сумки несколько аппетитных колбас, Левандовский, словно букет, берет нож, кромсает колбасу на куски. Широким жестом указывает на нас — и маленькая сухонькая женщина обходит нас одного за другим, смеется и раздает колбасу, причем выглядит просто пригожей. Мы зовем ее мамашей, а она радуется и взбивает нам подушки.

Через несколько недель меня каждое утро посылают в институт Сандера. Там мою ногу стягивают ремнями и разрабатывают. Плечо давно зажило.

С фронта прибывают новые санитарные эшелоны. Повязки уже не матерчатые, а всего-навсего из белой гофрированной бумаги. Там не хватает перевязочного материала.

Культя у Альберта заживает хорошо. Рана почти закрылась. Еще неделя-другая — и его направят в протезное отделение. Говорит он по-прежнему мало и куда более серьезен, чем раньше. Часто замолкает посреди разговора, глядя в пространство перед собой. Не будь он вместе с нами, давно бы покончил с жизнью. Но теперь худшее позади. Иной раз он даже смотрит, как мы играем в скат.

Я получаю отпуск на реабилитацию.

Мама не хочет меня отпускать. Она очень слаба. Все еще хуже, чем последний раз.

Потом меня отзывают в полк, и я снова еду на фронт.

Расставаться с Альбертом Кроппом, моим другом, нелегко. Но в солдатах и к такому со временем привыкаешь.

XI

Недели мы больше не считаем. Когда я прибыл, стояла зима, и при разрывах снарядов мерзлые комья земли представляли собой едва ли меньшую опасность, чем осколки. Сейчас деревья вновь зеленеют. Мы попеременно то на фронте, то в барачных казармах. И отчасти привыкли, что война такая же причина смерти, как рак и туберкулез, грипп и дизентерия. Только смерти куда многочисленнее, разнообразнее и страшнее.

Наши мысли — глина, их месит смена дней: они добрые, когда мы на отдыхе, и мертвые, когда мы под огнем. Сплошные воронки, что снаружи, что внутри.

Таковы все, не мы одни... Что было раньше, не в счет, да и вправду уже забылось. Различия, созданные образованием и воспитанием, почти стерлись и едва-едва заметны. Порой они дают преимущества в использовании той или иной ситуации, но, с другой стороны, наносят ущерб, вызывая комплексы, которые приходится преодолевать. Раньше мы были вроде как монетами разных стран; их переплавили, и теперь на всех одна и та же чеканка. Хочешь отыскать различия, изволь детально изучить материал. Мы солдаты, а уж потом, удивительным и стыдливым образом, еще и люди.

Великое братство странно соединяет отблеск воспетого в народных песнях товарищества, солидарности арестантов и отчаянной взаимоподдержки приговоренных к смерти, — соединяет в особую форму жизни, которая посреди опасности возникает из напряжения и одиночества смерти и оборачивается небрежным захватом выигранных часов, без малейшей патетики. Героизм и банальность, если угодно дать оценку, — только кому она нужна?

Именно оттого Тьяден, услыхав о вражеской атаке, в безумной спешке хлебает гороховый суп с салом, он ведь не знает, будет ли жив часом позже. Мы долго спорили, правильно он делает или нет. Кач не одобряет, говорит, надо учитывать риск ранения в живот, при полном желудке оно опаснее, чем при пустом.

Вот такие у нас проблемы, к ним мы относимся всерьез, да иначе и быть не может. Жизнь здесь, на пределе смерти, чудовищно прямолинейна, ограничивается самым необходимым, все прочее спит беспробудным сном; в этом наша примитивность и наше спасение. Будь мы сложнее, давно бы сошли с ума, дезертировали или погибли. Тут как в арктической экспедиции — любое проявление жизни должно служить лишь самосохранению и автоматически на это настроено. Все прочее отброшено, так как понапрасну отнимет силы. Это единственный способ спастись, и часто я смотрю на себя как на чужака, когда в тихие часы загадочный отблеск былого, словно тусклое зеркало, являет мне очертания нынешнего моего бытия будто со стороны, и сам удивляюсь, как невыразимая энергия, именующая себя жизнью, приспособилась даже к этой форме. Все остальные проявления впали в зимнюю спячку, жизнь лишь постоянно начеку перед угрозой смерти... Она сделала из нас мыслящих животных, чтобы дать нам оружие инстинкта, пропитала нас тупым безразличием, чтобы мы не сломались от ужаса, который обуял бы нас при ясном, осознанном мышлении... Она пробудила в нас чувство товарищества, чтобы мы уберeглись от бездны одиночества... Она наделила нас равнодушием дикарей, чтобы мы вопреки всему ощущали каждое мгновение позитивного и сохраняли как резерв против натиска Ничто. Вот так мы и ведем замкнутое, жестокое существование на самой поверхности, и только изредка какое-нибудь событие бросит искру-другую. А тогда наружу вдруг вырывается пламя тяжкой, жуткой тоски.

Эти опасные мгновения показывают нам, что приспособленность все же искусственна, что она не покой, а острейшее стремление к покою. По образу жизни мы внешне едва отличаемся от негров из буша; но если негры могут быть такими всегда, потому что таковы от природы и напряжение духовных сил разве что толкает их к развитию, то с нами обстоит наоборот: наши внутренние силы напряженно устремлены не к прогрессу, а к регрессу. Негры не ведают напряжения, что вполне естественно, мы же до предела напряжены и искусственны.

И ночью, очнувшись от сна, весь под впечатлением и во власти наплывающих образов, — с ужасом ощущаешь, сколь хрупка опора, грань, отделяющая нас от тьмы, — мы крохотные огоньки, утлыми стенами кое-как защищенные от бури распада и бессмысленности, в которой светим и порой едва не тонем. Тогда приглушенный гул битвы кольцом смыкается вокруг, мы сжимаемся в комок и расширенными глазами всматриваемся в ночь. Лишь сонное дыхание товарищей дарит толику утешения, и вот так мы ждем утра.

Каждый день и каждый час, каждый снаряд и каждый убитый стачивают нашу хрупкую опору, и годы быстро изнашивают ее. Я вижу, как вокруг меня она уже мало-помалу разрушается.

К примеру, глупая история с Детерингом.

Он был из тех, что держались особняком. И, на свою беду, увидал в саду вишневое дерево. Мы как раз возвращались с передовой, и эта вишня неожиданно возникла перед нами в утренних сумерках на повороте дороги, ведущей к новым квартирам. Листья еще не распустились, вся крона — сплошные белые цветы.

Вечером Детеринг исчез. Но в конце концов объявился с цветущими вишневыми ветками в руках. Мы посмеялись, спросили, уж не собрался ли он на смотрины. Он не ответил, молча лег на койку. Ночью я услышал, как он шебаршится, вроде бы вещи пакует. Почуяв неладное, я подошел к нему. Он сделал вид, что ничего не происходит, а я сказал ему:

— Не делай глупостей, Детеринг.

— Да брось ты... мне просто не спится.

— Зачем ты принес вишневые ветки?

— Приносить вишневые ветки пока что не возбраняется, — решительно отвечает он. И, помолчав, добавляет: — Дома у меня большой вишневый сад. Когда он в цвету, посмотришь с сеновала — прямо как простыня, все бело. Сейчас аккурат такая пора.

— Может, скоро отпуск дадут. Или отчислят тебя как фермера.

Он кивает, но с отсутствующим видом. Эти крестьяне, когда разволнуются, выглядят чудно́, этакая помесь коровы и меланхоличного божества, зрелище глупое и вместе с тем восхитительное. Чтобы отвлечь его от размышлений, прошу у него кусок хлеба. Он дает, без всяких оговорок. Подозрительно, ведь обычно он скуповат. Поэтому я остаюсь начеку. Ничего не происходит, утром он такой же, как всегда.

Вероятно, заметил, что я за ним наблюдаю. А через день утром все-таки исчез. Я вижу, что его нет, но пока молчу — надо дать ему время, вдруг сумеет удрать. Иным уже удавалось благополучно уйти в Голландию.

Однако на перекличке его отсутствие обнаруживается. Через неделю мы узнаем, что его схватила полевая жандармерия, эти презренные армейские ищейки. Он двинул в сторону Германии, а это, конечно же, затея безнадежная, и изначально действовал до крайности глупо. Любому понятно: побег вызван тоской по дому и временным умопомешательством. Но что знают об этом военные судебные советники в ста километрах от фронта?.. Больше мы о Детеринге ничего не слышали.

Но иногда все это опасное, накопившееся, как в перегретых паровых котлах, прорывается наружу иначе. Тут стоит рассказать, какой конец настиг Бергера.

Наши окопы давно уничтожены огнем, у нас гибкий фронт, так что, по сути, о настоящей позиционной войне речи уже нет. После атак и контратак остается рваная полоса и ожесточенные схватки от воронки к воронке. Передовая линия прорвана, и повсюду в воронках закрепились отделения, огневые точки, откуда и ведутся бои.

Мы в воронке, засевшие сбоку англичане атакуют с фланга и заходят к нам в тыл. Мы окружены. Сдаться трудно, над нами клубится дым и туман, никто не разглядит, что мы хотим капитулировать, а может, и не хотим, в такие минуты сам ничего толком не знаешь. Разрывы ручных гранат все ближе. Наш пулемет обстреливает полукруг впереди. Охлаждающая вода испарилась, торопливо передаем емкости по цепочке, каждый мочится, вот тебе и охладитель, можно продолжать огонь. Но грохот за спиной все ближе. Еще несколько минут — и нам каюк.

Тут вступает второй пулемет, бьет на кратчайшую дистанцию. Он в соседней воронке, там Бергер, с тылу начинается контратака, мы освобождены, устанавливаем контакт со своими.

Затем, когда мы уже в довольно хорошем укрытии, один из подносчиков еды рассказывает, что в нескольких сотнях шагов лежит раненая собака связи.

— Где? — спрашивает Бергер.

Тот объясняет. Бергер решает идти — либо притащит собаку, либо пристрелит. Еще полгода назад он бы благоразумно не придал этому значения. Мы пытаемся его удержать. Но он собрался всерьез, так что нам остается только сказать: «Рехнулся!» — и отпустить его. Подобные припадки фронтового помешательства принимают опасный оборот, если не удается сразу сбить человека с ног и скрутить. А Бергер ростом метр восемьдесят, самый сильный в роте.

Он действительно рехнулся, ведь надо пройти сквозь стену огня; но этот удар молнии, подстерегающий всех нас, на сей раз настиг его и сделал одержимым. Другие начинают буйствовать, бегут прочь, был и такой, что руками, ногами и ртом все время норовил зарыться в землю.

Разумеется, нередко подобные вещи симулируют, но и симуляция, в сущности, тоже симптом. Бергера, который хочет покончить с собакой, выносят с раздробленным тазом, а один из тех, кто его вытаскивает, получает винтовочную пулю в икру.

Погиб Мюллер. Трассирующая пуля в живот, чуть ли не в упор. Он прожил еще полчаса, в полном сознании, испытывая жуткую боль. Перед смертью он отдал мне свой бумажник и отказал сапоги, те самые, что ему оставил Кеммерих. Я их ношу, поскольку они мне впору. После меня перейдут к Тьядену, я ему обещал.

Мы сумели похоронить Мюллера, только вряд ли он долго пролежит спокойно. Нас отбросят с этих рубежей. У противника слишком много свежих английских и американских полков. Слишком много тушенки и белой пшеничной муки. И слишком много новых орудий. Слишком много самолетов.

Мы же тощие, изголодавшиеся. Еда настолько скверная и в ней столько суррогатов, что мы от нее болеем. Фабриканты в Германии разбогатели — нам дизентерия рвет кишки. В нужнике свободного места не сыщешь; стоило бы показать людям на родине эти изжелта-серые, жалкие, покорные лица, эти скорченные фигуры, которым колики выжимают кровь из тела, а они трясущимися от боли губами еще и улыбаются друг другу:

— Смысла нет натягивать штаны...

Наша артиллерия выдохлась — боеприпасов недостаточно, — а стволы настолько разболтались, что стреляют неприцельно, снаряды падают с большим разбросом, нередко и на наши позиции. Лошадей тоже не хватает. Свежие войска — малокровные, изможденные мальчишки, которые ранец-то тащить не могут, но умирать умеют. Тысячами. Они понятия не имеют, что такое война, просто идут в атаку, позволяя себя расстреливать. Один-единственный летчик забавы ради перебил две роты этих мальчишек, они ведь знать ничего не знали про укрытие, только-только сошли с эшелона.

— Германия, должно, скоро опустеет, — говорит Кач.

У нас нет надежды, что когда-нибудь настанет конец. Так далеко мы вообще в мыслях не заходим. Можно получить пулю и умереть; можно заработать ранение, тогда следующая остановка — лазарет. Если обойдется без ампутации, рано или поздно угодишь в лапы какому-нибудь капитану санслужбы, с Крестом за военные заслуги в петлице, и он тебе скажет: «Что, одна нога чуть короче? На фронте бегать незачем, было бы мужество. Годен к строевой! Идите!»

Кач рассказывает одну из тех историй, что гуляют по всему фронту от Вогез до Фландрии, — про капитана санслужбы, который по списку вызывает на освидетельствование, а когда вызванный подходит, каждый раз не глядя бросает: «Годен. На фронте нужны солдаты». Настает черед солдата с деревянной ногой, капитан опять свое: «Годен к строевой».

— А тот, — Кач повышает голос, — ему в ответ: «Деревянная нога у меня уже есть, но коли я сейчас пойду на фронт и мне отстрелят голову, я закажу себе деревянную башку и стану врачом санслужбы!»

Мы все глубоко удовлетворены таким ответом.

Наверно, есть и хорошие доктора, причем много; но при сотнях освидетельствований каждый солдат хоть раз попадает в лапы одному из этих несчетных «поборников героизма», норовящих в своем списке как можно больше годных для тыловых работ и годных к гарнизонной службе перевести в разряд годных к строевой службе в военное время.

Подобных историй хватает, и в большинстве своем они гораздо печальнее. Однако ж они не имеют ничего общего с бунтом и нытьем; они правдивы и называют вещи своими именами, ведь в армии предостаточно обмана, несправедливости и подлости. Разве мало, что так или иначе полк за полком идут во все более безнадежный бой и атаки следуют одна за другой, хотя передовая линия отступает и дробится?

Танки из посмешища превратились в тяжелое оружие. Бронированные, они катят длинной цепью, воплощая для нас в первую очередь кошмар войны.

Орудий, накрывающих нас ураганным огнем, мы не видим, наступающие цепи противника такие же люди, как мы, но танки — это машины, их гусеницы движутся бесконечно, как война, они — само истребление, когда безучастно скатываются в воронки и снова из них выползают, неудержимые, флот ревущих, извергающих дым броненосцев, неуязвимые стальные зверюги, давящие убитых и раненых... Мы съеживаемся перед ними в своей тонкой коже, перед их исполинской мощью наши руки — соломинки, а гранаты — спички.

Снаряды, клубы газа, танковые флотилии — задавить, разъесть, убить.

Дизентерия, грипп, тиф — задушить, сжечь, убить.

Окопы, лазарет, братская могила — больше никаких возможностей.

В одной из атак погибает наш ротный, Бертинк. Он принадлежал к числу тех замечательных фронтовых офицеров, которые в любой опасной ситуации неизменно впереди. Два года он был с нами, без единого ранения, но в конце концов удача не вечна. Мы сидим в окопе, в окружении. Вместе с пороховым дымом доносится вонь нефти или керосина. Засекаем двоих с огнеметом, один тащит на спине емкость, у другого в руках шланг, брызжущий огнем. Если они приблизятся настолько, что смогут нас достать, нам каюк, потому что именно сейчас отступать некуда.

Берем их под обстрел. Но они продвигаются, дело плохо. Бертинк вместе с нами в окопе. Заметив, что мы стреляем безрезультатно, так как под сильным огнем невольно озабочены в первую очередь укрытием, он берет винтовку, выползает из окопа, целится, приподнявшись на локтях. Стреляет, и в тот же миг — бац! — в него попадает пуля, он ранен. Но продолжает целиться — отнимает приклад от плеча, снова вскидывает винтовку, наконец гремит выстрел. Бертинк опускает оружие, говорит: «Отлично!» — и съезжает в окоп. Задний огнеметчик ранен, падает, шланг вырывается у второго из рук, огонь брызжет во все стороны, огнеметчик горит как факел.

У Бертинка прострелена грудь. Минуту спустя осколок сносит ему подбородок, летит дальше и вдобавок распарывает бедро Лееру. Леер стонет, приподнимается на руках, он быстро истекает кровью, но никто не в силах ему помочь. Через несколько минут он обмякает как опустевшие мехи. Что проку ему от того, что в школе он был очень хорошим математиком...

Проходят месяцы. Лето 1918-го — самое кровавое и самое тяжкое. Дни, точно ангелы в золоте и голубизне, непостижимо стоят над кольцом истребления. Каждый на фронте понимает, что войну мы проиграем. Разговоров об этом немного, мы отходим, вести наступательные действия после этого крупного наступления уже невозможно, нет у нас больше ни людей, ни боеприпасов.

Но кампания продолжается... смерть продолжается...

Лето 1918-го... Никогда жизнь в ее скудном облике не казалась нам такой желанной, как сейчас; красные маки на лугах возле наших тыловых квартир, гладкие жучки на травинках, теплые вечера в полутемных прохладных комнатах, черные загадочные деревья сумерек, звезды и плеск воды, мечты и долгий сон, — о жизнь, жизнь, жизнь!

Лето 1918-го... Никогда нам не было так трудно молча выдержать минуту выступления на фронт. Ползут сумасшедшие, будоражащие слухи о перемирии и о мире, они смущают сердца и делают отъезд еще более тягостным, чем обычно!

Лето 1918-го... Никогда жизнь на передовой не бывала горше и ужаснее, чем в часы артобстрела, когда бледные лица тычутся в грязь, а руки судорожно молят об одном: Нет! Нет! Не теперь! Не теперь, не в последнюю минуту!

Лето 1918-го... Ветер надежды, веющий над выжженными полями, безумная лихорадка нетерпения, разочарования, мучительнейший страх смерти, непостижимый вопрос: почему? Почему не положат этому конец? И почему возникают слухи о конце?

* * *

Здесь множество самолетов, и летчики так самоуверенны, что устраивают охоту на солдат-одиночек, как на зайцев. На один немецкий самолет приходится по меньшей мере пять английских и американских. На одного голодного и усталого немецкого солдата в окопе — пятеро энергичных, свежих солдат в окопе противника. На одну буханку немецкого хлеба — пятьдесят банок тушенки у противника. Мы не разбиты, потому что как солдаты лучше и опытнее; нас просто задавило и отбросило многократное превосходство врага.

Позади остались несколько дождливых недель — серое небо, серая размокшая земля, серая смерть. Уже по пути на фронт сырость проникает сквозь шинели и одежду, и так продолжается все время на передовой. Просохнуть не удается. Те, кто еще носит сапоги, перетягивают голенища поверху мешковиной, чтобы глинистая вода не сразу заливалась внутрь. Винтовки заскорузлые от грязи, форма заскорузлая от грязи, все растекается жижей, набрякшая, влажная, маслянистая масса земли, где стоят желтые бочаги со спиральными красными кровяными разводами и где медленно тонут убитые, раненые и уцелевшие.

Буря хлещет нас, град осколков вышибает из хаоса серости и желтизны по-детски пронзительные крики раненых, а по ночам раскромсанная жизнь тяжко стонет, уходя в безмолвие.

Наши руки — земля, наши тела — глина, наши глаза — дождевые лужи. Мы не знаем, живы ли еще.

Затем в наши окопы медузой обрушивается сырой, душный зной, и в один из этих дней на исходе лета, при подноске еды, пуля настигает Кача. Мы с ним вдвоем. Я перевязываю рану; кажется, раздроблена большая берцовая кость. Поэтому Кач отчаянно стонет:

— Надо же... именно теперь...

Я его утешаю:

— Кто знает, сколько еще продлится эта свистопляска! Главное, ты уцелел...

Рана начинает сильно кровоточить. Я не могу уйти за носилками и оставить Кача одного. Да и не знаю, где тут поблизости санчасть.

Кач не очень тяжелый, я взваливаю его на спину и иду в тыл, на перевязочный пункт.

Дважды мы останавливаемся отдохнуть. На ходу его мучают сильные боли. Говорим мало. Я расстегнул ворот куртки, дышу тяжело, весь в поту, лицо отекло от натуги. И все же настаиваю: надо идти дальше, здесь опасно.

— Выдюжишь, Кач?

— Надо, Пауль.

— Тогда вперед.

Я поднимаю его, он стоит на одной ноге, держась за дерево. Затем я бережно берусь за раненую ногу — он дергается, — подхватываю под колено здоровую ногу, тоже зажимаю под мышкой.

Идти все труднее. Временами неподалеку рвутся снаряды. Я шагаю как можно быстрее, ведь из раны Кача на землю капает кровь. Защититься от разрывов нам толком не удается, ведь пока укроемся, все уже позади.

Чтобы переждать, прячемся в небольшой воронке. Я даю Качу напиться чаю из моей фляжки. Выкуриваем сигарету.

— Да, Кач, — печально говорю я, — теперь придется нам расстаться.

Он молчит, смотрит на меня.

— Помнишь, Кач, как мы реквизировали гуся? И как ты вытащил меня из заварухи, когда меня, зеленого новобранца, первый раз ранило? Тогда я еще плакал. Кач, ведь почти три года прошло.

Он кивает.

Страх одиночества поднимается во мне. Когда Кача увезут, друзей у меня здесь больше не останется.

— Кач, нам надо обязательно встретиться, если до твоего возвращения вправду настанет мир.

— Думаешь, меня с этой вот костью признают годным? — горько спрашивает он.

— В спокойной обстановке она заживет. Сустав-то в порядке. Может, все уладится.

— Дай мне еще сигарету, — просит он.

— Может, позднее чем-нибудь займемся вместе, Кач.

Мне очень грустно, невозможно, чтобы Кач... Кач, мой друг, Кач с сутулыми плечами и тонкими мягкими усиками, Кач, которого я знаю совсем по-другому, не как всех остальных людей, Кач, с которым я разделил эти годы... невозможно, чтобы я больше не увидел Кача.

— Дай мне свой домашний адрес, Кач, на всякий случай. А я запишу тебе мой.

Бумажку с адресом я кладу в нагрудный карман. Как же мне одиноко, хотя он пока сидит рядом. Пальнуть, что ли, себе в ногу, чтобы остаться с ним?

Внезапно в горле у Кача булькает, он становится зелено-желтым. Бормочет:

— Надо идти.

Я вскакиваю в пылком желании помочь, снова подхватываю его, припускаю бегом, бегу плавно, неторопливо, как стайер, чтобы не слишком бередить ему ногу.

В горле пересохло, перед глазами черно-красные круги, когда я, закусив губы и не щадя себя, без остановки наконец добегаю до санпункта.

Там колени у меня подгибаются, но я все-таки нахожу в себе силы упасть на тот бок, где у Кача здоровая нога. Через несколько минут снова выпрямляюсь. Ноги и руки отчаянно трясутся, я с трудом нащупываю фляжку, отпиваю глоток. Губы у меня при этом дрожат. Но я улыбаюсь — Кач в безопасности.

Немного погодя слух улавливает неразборчивые голоса.

— Зря ты так надрывался, — говорит один из санитаров.

Я недоуменно смотрю на него.

Он показывает на Кача:

— Он же мертв.

До меня не доходит:

— У него раздроблена берцовая кость.

Санитар останавливается:

— И вот это...

Я оборачиваюсь. Глаза все еще мутные, меня опять бросило в пот, и он течет по векам. Я утираю его, смотрю на Кача. Он не шевелится.

— Потерял сознание, — быстро говорю я.

Санитар тихонько присвистывает:

— Ну, я тут лучше разбираюсь. Он мертв. Готов поспорить на что угодно.

Я качаю головой:

— Не может быть! Десять минут назад я с ним разговаривал. Он потерял сознание.

Руки у Кача теплые, я беру его за плечи, хочу натереть чаем виски, чтобы очнулся. И чувствую, что пальцы у меня мокрые. Вытаскиваю ладонь из-под его головы — пальцы в крови. Санитар опять присвистывает сквозь зубы:

— Вот видишь...

Я не заметил, но по дороге Качу в голову угодил осколок. Дырочка совсем маленькая, и осколок наверняка был крохотный, случайный. Но его оказалось достаточно. Кач умер.

Я медленно встаю.

— Возьмешь его солдатскую книжку и вещи? — спрашивает санитар-ефрейтор.

Я киваю, и он отдает их мне.

Санитар удивлен:

— Вы ведь не родственники?

Да, не родственники. Не родственники.

Я иду? У меня еще есть ноги? Поднимаю глаза, озираюсь вокруг, поворачиваюсь вместе с ними по кругу, по кругу, останавливаюсь. Все как обычно. Только солдат ландвера Станислаус Качинский умер.

Больше я ничего не помню.

XII

Осень. Стариков здесь осталось немного. Я последний из семерых моих одноклассников.

Поголовно все говорят о мире и перемирии. Все ждут. Если снова разочарование, они сломаются, надежды чересчур сильны, чтобы отбросить их без взрыва. Не будет мира — будет революция.

У меня две недели отдыха, потому что я малость глотнул газа. Целыми днями сижу в садике на солнце. Скоро перемирие, теперь и я верю. Тогда мы поедем домой.

На этом мои мысли спотыкаются и дальше идти не желают. С огромной силой меня влекут и ожидают чувства. Жажда жизни, чувство родины, кровь, хмель спасения. Но это не цели.

Вернись мы домой в 1916-м, из боли и мощи наших переживаний родилась бы буря. Если же вернемся сейчас, то усталые, разбитые, выжженные, без корней и без надежды. Мы уже не сумеем найти себе место.

Да нас и не поймут, ведь впереди нас поколение, которое хотя и провело вместе с нами годы на фронте, но имело свой дом и профессию и вернется теперь на прежние позиции, где забудет войну, а за нами идет поколение, похожее на нас, какими мы были раньше, оно наверняка нам чужое и отодвинет нас в сторону. Мы лишние для самих себя, мы будем жить, одни приспособятся, другие покорятся, а многие растеряются; годы растают, и в конце концов мы погибнем.

Хотя, быть может, все, что я думаю, лишь тоска и смятение, которые развеются, когда я снова окажусь под нашими тополями и услышу шелест их листвы. Не может быть, чтобы оно ушло, то ласковое, нежное, что будоражило кровь, то неясное, смущающее, грядущее, тысячи ликов грядущего, мелодия из мечтаний и книг, пьянящий шорох и предчувствие женщин, не может быть, чтобы все это сгинуло в ураганном огне, отчаянии и солдатских борделях.

Деревья здесь сияют ярким золотом, ягоды рябин алеют в листве, проселки белыми лентами бегут к горизонту, солдатские столовые гудят, как ульи, слухами о мире.

Я встаю.

Я очень спокоен. Пусть приходят месяцы и годы, они ничего больше у меня не отнимут, не смогут отнять. Я так одинок, я ничего не жду и могу без страха смотреть им навстречу. Жизнь, пронесшая меня через эти годы, пока что в моих руках и глазах. Не знаю, справился ли я с нею. Но пока она здесь, она будет искать себе путь, хочет этого мое «я» или нет.

* * *

Он погиб в октябре 1918-го, в тот день на всем фронте было так спокойно и тихо, что военная сводка ограничилась одной фразой: «На Западном фронте без перемен».

Он упал ничком и лежал на земле, будто спал. Когда его перевернули, то увидели, что мучился он скорее всего недолго; лицо хранило сосредоточенное выражение, словно он был чуть ли не доволен, что так случилось.

Литературно-художественное издание

Эрих Мария Ремарк

НА ЗАПАДНОМ ФРОНТЕ БЕЗ ПЕРЕМЕН

Роман

Ответственный редактор *И. Горяева*
Технический редактор *Н. Духанина*
Компьютерная верстка *М. Лазуткина*
Корректор *Л. Зубченко*

Общероссийский классификатор продукции
ОК-034-2014 (КПЕС 2008); 58.11.1 — книги, брошюры

ООО «Издательство АСТ»
129085 г. Москва, Звездный бульвар, дом 21, строение 1, комната 705, пом. I, 7 этаж.
Наш электронный адрес: **www.ast.ru**
E-mail: **neoclassic@ast.ru**
ВКонтакте: vk.com/ast_neoclassic

«Баспа Аста» деген ООО
129085 г. Мәскеу, жұлдызды гүлзар, д. 21, 1 құрылым, 705 бөлме, I жай, 7-қабат.
Біздің электрондық мекенжайымыз: www.ast.ru
E-mail: neoclassic@ast.ru

Интернет-магазин : www.book24.ru
Интернет-дукен : www.book24.kz
Импортёр в Республику Казахстан ТОО «РДЦ-Алматы».
Қазақстан Республикасындағы импорттаушы «РДЦ-Алматы» ЖШС.
Дистрибьютор и представитель по приему претензий на продукцию,
в Республике Казахстан: ТОО «РДЦ-Алматы»
Қазақстан Республикасында дистрибьютор
және өнім бойынша арыз-талаптарды қабылдаушының
өкілі «РДЦ-Алматы» ЖШС, Алматы қ., Домбровский көш., 3«а», литер Б, офис 1.
Тел.: 8(727) 2 51 59 89,90,91,92
Факс: 8 (727) 251 58 12 вн. 107; E-mail: RDC-Almaty@eksmo.kz
Өнімнің жарамдылық мерзімі шектелмеген.

Өндірген мемлекет: Ресей. Сертификация қарастырылмаған

Подписано в печать 25.12.2019. Формат 76x100 1/32.
Гарнитура «Newton». Печать офсетная. Усл. печ. л. 12,67.
Доп. тираж 12000 экз. Заказ 13247.

Отпечатано с готовых файлов заказчика
в АО «Первая Образцовая типография»,
филиал «УЛЬЯНОВСКИЙ ДОМ ПЕЧАТИ»
432980, Россия, г. Ульяновск, ул. Гончарова, 14

ISBN 978-5-17-088940-2

9 785170 889402 >